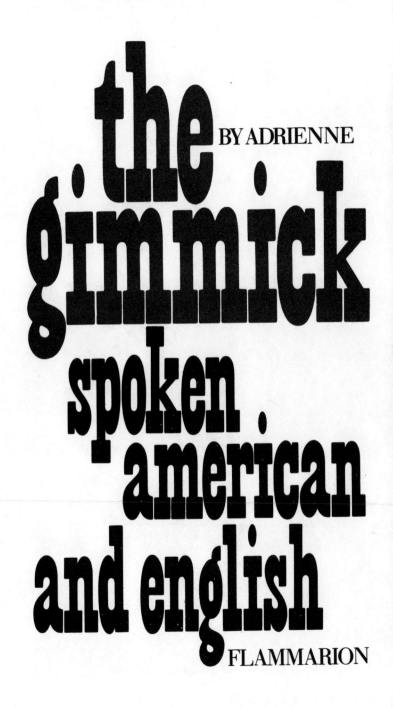

the

BY ADRIENNE

gimmick

spoken
american
and english

FLAMMARION

I am indeed a very lucky teacher. My students are not only serious and hard-working but have become my friends and without their help, I could not possibly have written this book... I could not but dedicate the Gimmick to them...

A special thanks...
to my students the "correctors": Annick, Annie, Daniel, Gérard, Geneviève, Henriette, Janine, Jean-François, Juliette, Peter, Mike M., Mike C., Suzanne.

to my students who coped with my endless questions: Annie, Annick, Denise, Mr. Devillechabrol, Christiane, Gérard, Mrs. Grenier, Janine, John, Jacques, Marise, Mr. Martiling, Martine, Morris, Mr. Martinaud, Noëlla, Nicole, Mrs. Peletier, Pascale, Mr. Petiot, Mr. Rey-Herme, Simone, Roland, Mrs. Tanguy, Mr. Travaini, Yves.

à mes amis qui m'ont tant aidée et supportée pendant cette période...! Alain, Annick, Bernard, Christian, Françoise, Gérard, Jacques, Jean-Louis (and family!), Marc, Margaret, Nadine.

to my "family readers": my "bestest" father, my scholarly uncle Salo, my extended family-Sylvia, my "just-about-sisters" Carol and Elizabeth and Pearl.

PREFACE

WHAT IS THE GIMMICK?

Programmed English

Perhaps I should begin with what the Gimmick is not. It is not a serious scholarly book. It *is* the answer to your speaking and understanding English problems. I have "digested" the American-English language for you and composed a method to enable you to systematically and by order of importance, assimilate this vocabulary. This method is based on progression of difficulties and grouping of words. Working under the assumption that it is as easy, if not easier, to learn three, four and five words at a time, I have placed the words that logically go together, together. At the same time I have included the colloquial-slang expressions which are most important (indicated by * or °). It is up to you which word you prefer to use. All are important for comprehension and should your needs be greater to speak that to write English, I suggest that you put an accent on the colloquial terms. The question of "spoken" vocabulary is of utmost importance on the language scene today. Where it was once important just to know a basic few sentences that could get you by in a simple conversation, more and more the French people are confronted with social situations in English. Their vocabulary is just not adequate. They are lost with the basic "relaxed" idioms. Contemporary books and movies leave the average French person with his scholarly English behind. Even the dictionaries are out of it and totally ignore the dynamics of the American and English languages. An executive is more or less at

6

PRÉFACE

QU'EST-CE QUE LE GIMMICK?

Peut-être devrais-je commencer par ce que n'est pas le Gimmick. Ce n'est pas un livre scolaire rébarbatif. C'est la réponse à vos problèmes pratiques pour parler et comprendre l'anglais. J'ai « digéré » la langue anglaise pour vous et inventé une méthode qui vous permettra d'assimiler le vocabulaire d'une manière systématique par ordre d'importance. Cette méthode est fondée sur une approche progressive des difficultés par groupe de mots. Je tiens pour acquis qu'il est facile d'apprendre trois, quatre et cinq mots à la fois. J'ai donc mis ensemble les mots qui vont logiquement ensemble. En même temps j'ai inclu les expressions familières et même argotiques les plus usuelles (signalées par * ou °). A vous de décider quel mot vous préférez employer. Chacun d'eux est important pour la compréhension et si vos besoins sont plus orientés vers la langue parlée que vers la langue écrite, je suggère que vous mettiez l'accent sur les expressions familières.

Le problème du « vocabulaire parlé » est d'extrême importance dans le domaine des langues d'aujourd'hui. Alors qu'autrefois il suffisait de connaître quelques phrases pour se débrouiller dans une simple conversation, de plus en plus, les Français sont confrontés en anglais avec la réalité sociale. Leur vocabulaire n'est pas adéquat. Ils sont perdus quant à l'emploi des expressions de la vie quotidienne. L'étudiant français classique, avec son langage scolaire « cultivé » est désorienté par les livres et les films contemporains. Même

7

ease in a meeting with its limited technical language, but lost in a simple social context.

For the most part my students have studied English for five-seven years. They speak all "too well", too stiff, too yesterday. This is today's language problem and the Gimmick is the first book to cope with it. It can be used either as an exercise book, a reference book or a class book. GIMMICK I is for an intermediate level (range of 5,000 + words). It will be followed by GIMMICK II (for the advanced student) and GIMMICK III (for a fluency level).

For the Student

You should choose a pace and then stick to it till the book is finished. I suggest 50 + new words per week as a fair amount. You will notice the absence of heavy grammatical explanations and formal style. This is my chosen relaxed style. When I feel it is easier to learn, the verb will be given in the conjugated form and not the infinitive. The * indicates a language for "copains". There are no vulgar words to watch out for in the A and B vocabulary series. I do not consider this book to be a particularly advanced level and the fact that for my students it invariably is, only indicates to me how antiquated the present system of teaching English is in France. I am convinced that the language problem today stems from a total lack of a practical spoken idiom. Some say they can not understand the Americans because we speak too quickly. My answer is that I can say "he stood me up" as slowly as you like, and if you don't know the idiomatic meaning (il m'a posé un lapin), you will never understand. The three main sections of the book represent an organized way to "attack" the modern vocabulary problem. The Verbs and Prepositions are the weak point for the French. This phenomenon of the preposition and how it changes the complete meaning of the verb does not exist in French and is the number one problem in English. The Gimmick is the first book to devote numerous exercises to the systematic and progressive study of the V + P (Verbs and Prepositions).

For those readers who would like to follow this method in a class — please call Adrienne at Institut Audio-Visuel — 40, rue de Berri — Paris (8e).

8

les dictionnaires ne sont pas à la page. Ils ignorent totalement l'aspect dynamique des langues « américano-anglaise ». Un cadre est plus ou moins à l'aise dans une conférence avec son vocabulaire technique ; mais il est tout à fait perdu dans n'importe quel contexte social.

La plupart de mes élèves ont étudié l'anglais pendant cinq à sept ans. Ils le parlent « trop bien », d'une façon ampoulée et démodée. Voilà le problème des langues vivantes aujourd'hui et le Gimmick est le premier livre à y faire face. Il peut être employé soit comme un livre de référence, soit comme un livre d'exercices ou de cours. Le GIMMICK I s'adresse à un niveau moyen (5.000 + mots). Il sera suivi par le GIMMICK II (pour élèves avancés) et le GIMMICK III (pour ceux qui parlent couramment).

Pour l'Élève

Vous devriez choisir un rythme et le garder jusqu'à ce que le livre soit fini. Je suggère 50 + nouveaux mots par semaine comme cadence convenable. Vous remarquerez l'absence totale d'une méthode grammaticale compliquée. Tel est mon style volontairement détendu. Là où j'estime que ce sera plus facile à apprendre, je donnerai le verbe non sous sa forme infinitive mais sous sa forme conjuguée. Le * indique un langage pour « copains ». Il n'y a pas de mots vulgaires dans les exercices de vocabulaire A et B. Je ne considère pas ce livre comme étant d'un niveau particulièrement avancé ; le fait qu'il semble tel aux élèves me montre à quel point le système actuel d'enseignement de l'anglais est désuet en France. Je suis persuadée qu'aujourd'hui le problème des langues vient de l'absence totale d'une « langue parlée ». Certains disent qu'ils ne peuvent pas comprendre les Américains parce que ceux-ci parlent trop vite. Ma réponse est que je peux dire : « he stood me up » aussi lentement que vous voudrez ; si vous ne connaissez pas le sens idiomatique (il m'a posé un lapin), vous ne comprendrez jamais. Les trois parties de ce livre représentent une méthode organisée « d'attaque » du problème du vocabulaire moderne. Les verbes et les prépositions sont le point faible des Français : ce phénomène de la préposition qui peut changer complètement le sens d'un verbe, n'existe pas en français et constitue la difficulté n° 1 de la langue anglaise. Le Gimmick est le premier livre à consacrer de nombreux

For Teachers

This is suggested material to compose a half hour's work in an hour and a half or two hour class. There should be a written test after every four pages. Other exercises are indispensable, e.g. dictations, debates, scene playing, summaries of newspaper articles, etc.

If the beginner learns quickly, it is because he starts at a zero level and everything awaits him. For the advanced student the problem is different. His progress is more difficult for both of you to see. He must make a concentrated effort to learn "what is left". The mistake often made at this level is that one loses sight of the basic concept that not all words are of equal value. There must be a structured basis for increasing one's vocabulary at all *levels*. And as obvious as the problem is with the beginner (i. e. first lesson words are always table, chair, man, etc.), this is also true on an advanced level where there must still be a priority of words. I have broken down our language in such a way as to permit the intermediate and advanced levels to continue the logical progression that was so apparent in the first days but that teachers and books often fail to cope with after. As far as I know, the Gimmick (a series of three books) is the first book to offer programming of our vocabulary. The vitality of the American language more than another perhaps, is the reflection of a psychology of a people and presents a constant challenge to teachers and translators.

exercices à un apprentissage systématique et progressif des V + P (Verbs and Prepositions).
Pour les lecteurs qui voudraient suivre cette méthode
dans un cours, je vous prie de me téléphoner à
l'Institut Audio-Visuel, 40, rue de Berri − Paris (8e).

Pour le Professeur

Ceci représente le travail d'une demi-heure sur
un cours d'une heure et demie ou deux heures.
Je propose que l'élève fasse d'abord chez lui
ce qu'il peut et ensuite que vous relisiez l'exercice
avec lui en cours. Il serait souhaitable qu'il fasse
un test écrit toutes les 4 pages. D'autres exercices
sont indispensables : dictées, débats, saynètes,
résumé d'un article de journal, etc. Si le débutant
apprend vite, c'est parce qu'il commence à partir
de rien et que tout est devant lui. Pour l'élève
avancé, le problème est différent. Ses progrès
sont plus difficiles à déceler. Il doit faire un effort
accru pour apprendre tout ce qu'il lui reste à
apprendre. A ce niveau, l'erreur consiste souvent
à perdre de vue l'idée principale, à savoir que les
mots n'ont pas tous la même valeur. Il doit y avoir
une base structurée pour que chacun augmente
son vocabulaire, à quelque niveau qu'il soit.
Et aussi évident que soit le problème pour les
débutants (les mots des premières leçons sont
toujours table, chair, man, etc.), ceci est encore
vrai − mais peu respecté − pour un niveau avancé
où il doit toujours y avoir un ordre progressif
dans le choix des mots à apprendre.
Étant donné que ceci n'existe dans aucun livre,
à ma connaissance, j'ai « arrangé » le vocabulaire
pour permettre aux niveaux moyen et avancé de
continuer l'assimilation de la langue, qui était
manifeste durant les premiers jours − résultats
auxquels ne parviennent pas les professeurs
et les livres classiques.
La vitalité de la langue américaine, peut-être plus
qu'une autre, représente le reflet de la psychologie
de tout un peuple, et présente un défi constant
aux professeurs et aux traducteurs. La vérité
d'une langue ne se trouve ni dans sa syntaxe,
ni dans sa grammaire, mais dans l'usage que leurs
utilisateurs font de celles-ci.

VERBS AND PREPOSITIONS

1. remettre	Because of the rain the meeting was put - - - -.
2. intéressé par	Are you interested - - - - the so-called flying saucer stories ?
3. omettre	When filling out an application women prefer to leave - - - - their age.
4. emprunter à	Whom did you borrow that amusing bike - - - -?
5. examinez-le / vérifiez-le	Before giving that to the boss please - look it ... - check it ...
6. ne riez pas de moi / ne vous moquez pas de moi	Don't laugh - - - - me ; I am perfectly serious.
7. avoir du temps libre	During Xmas we usually have a lot of time - - - -.
8. être déçu par	I'm very disappointed - - - -him.
9. éteindre / fermer	Unless you have a lot of money you should always put - - - the lights.
10. téléphoner	Please call me - - - - about it to-night. ring me - - - - (British).
11. montrer du doigt / signaler	I don't know where it is. Could you please point it - - - -?
12. monter dans	Please get - - - - quickly.
13. c'est l'heure	That's all. Time is - - - -. Give me the papers please.
14. chercher	I'm looking - - - - a coat just like yours.

Les exercices qui suivent concernent l'emploi des prépositions en anglais... le point faible des Français. Les prépositions accompagnent des verbes ou des substantifs ou des adverbes, mais comme elles modifient essentiellement le sens des verbes j'intitule cette partie : Verbs and prepositions (V & P).

a) remplir les pointillés,
b) plier le tiers de la page pour trouver la préposition à employer,
c) puis tourner la page pour la traduction complète,
(* = familier)

VERBS AND PREPOSITIONS - KEY

1. to put off	La réunion fut reportée à cause de la pluie.
2. interested in	Êtes-vous intéressé par les histoires des soi-disant soucoupes volantes ?
3. to leave out	Quand elles remplissent un questionnaire, les femmes préfèrent omettre leur âge.
4. to borrow - - - from	A qui avez-vous emprunté cette bicyclette amusante ?
5. look it over / check it out	Veuillez vérifier ceci avant de le remettre au patron.
6. don't laugh at me	Ne riez pas de moi ; je suis parfaitement sérieuse.
7. to have time off	A Noël, nous avons d'habitude beaucoup de temps de libre.
8. to be disappointed in	Je suis très déçu par lui.
9. to put off / out	A moins que vous ne soyez très riche, vous devez toujours éteindre les lumières.
10. to call (ring) me up...	Téléphonez-moi s.v.p. à ce sujet ce soir.
11. to point it out	Je ne sais où c'est. Pouvez-vous me le montrer ?
12. to get on... in	Montez vite s.v.p.
13. time is up / over	C'est tout, c'est terminé. Veuillez me donner les papiers.
14. to look for	Je cherche un manteau comme le vôtre.

INTERMEDIATE

1. être sur le point de / à deux doigts de
   I'm about - - - - go. (Or). I'm on the verge - - - - having a breakdown.

2. décoller
   The plane will take - - - - on schedule.

3. sortir
   In the States the big night to go - - - - is Saturday.

4. être d'accord avec
   I agree - - - - everything you're saying.

5. être responsable pour / être en charge de
   While the boss is away, his aide is in charge - - - - all the employees.

6. enlevez-le
   Why don't you take - - - - your coat and make yourself at home.

7. je m'en occuperai / j'en prendrai soin
   If you don't take care - - - - children, they will grow up to be little animals.

8. a. se débrouiller / b. s'entendre avec
   No matter where she is or what she does she always gets - - - - well.
   We certainly do get - - - - well.

9. se renseigner / découvrir
   After asking many questions, we found - - - - that he moved last week.

10. ils y sont / ils n'y sont pas
    Are the Smiths in? No, they're - - - - and won't be - - - - till this evening.

11. ramasser / venir chercher
    The mother arranged to pick - - - - the children at 5.

12. avoir la gueule de bois / avoir la g.d.b. / avoir mal aux cheveux
    He drank all night and had some hang - - - - this morning.

13. il n'en peut plus / il est à bout
    He was working so hard that he was really worn - - - -.

14. gagner haut la main
    He won hands - - - -.

15. choisir
    I'll go shopping with you and since it's your birthday, you can pick - - - - anything you like.

16. les choses vont mieux / reprendre le dessus / remonter la pente / s'améliorer
    Look at the diamond he bought her. Business must be looking - - - -.

17. discutons-en
    If you have any problems, please come and talk them - - - - with me.

18. ce n'est pas fondé/ cela ne tient pas debout/ ce n'est pas une preuve suffisante
    It sounds good now but in Court he won't have a leg to stand - - - -.

19. servir / aider (magasin, restaurant, etc.)
    I like that gal. She always waits - - - - me right away.

15

VERBS AND PREPOSITIONS

1. to be about to / on the verge of	Je suis sur le point de m'en aller. – Je suis à deux doigts d'avoir une dépression nerveuse.
2. to take off (plane)	L'avion décollera comme prévu.
3. to go out	Aux États-Unis, le meilleur soir pour sortir est le samedi.
4. to agree with	Je suis d'accord avec tout ce que vous dites.
5. to be in charge of	Quand le patron est absent, son adjoint est responsable de tous les employés.
6. take it off	Pourquoi n'enlevez-vous pas votre manteau? Mettez-vous à l'aise.
7. I'll take care of it	Si vous ne prenez pas soin des enfants, ils deviendront de petits animaux.
8. a. she gets on well, b. we get on well	Où qu'elle soit ou quoi qu'elle fasse, elle se débrouille toujours bien. Nous nous entendons vraiment bien.
9. to find out	Après bien des questions, nous avons découvert qu'il avait déménagé la semaine dernière.
10. they're out / they aren't in	Les Dupont sont-ils là? Non, ils sont sortis et ne rentreront pas avant ce soir.
11. to pick up	La mère s'arrangea pour prendre les enfants à cinq heures.
12. to have a hangover	Il a bu toute la nuit et ce matin il avait la gueule de bois.
13. to be worn out	Il travaillait si dur qu'il était réellement épuisé.
14. To win hands down	Il a gagné haut la main.
15. to pick out	Je vais faire des courses avec vous et puisque c'est votre anniversaire, vous pourrez choisir tout ce que vous voudrez.
16. things are looking up	Regardez le diamant qu'il lui a acheté. Les affaires doivent reprendre.
17. let's talk them over	Si vous avez des problèmes, venez me voir et nous en discuterons.
18. doesn't have a leg to stand on	Cela semble valable maintenant, mais au tribunal cela ne fera pas le poids. Pas fondé.
19. to wait on	J'aime cette fille, elle me sert toujours sur-le-champ.

16

INTERMEDIATE

1. être éperdument amoureux

Henry is still-madly in love - - - - his wife.
-head over heels in love - - - -.

2. participer à

Every year the army takes part - - - - a military event.

3. attaquer

Even a tame police dog will-turn - - - - its master
-go - - - -
if provoked.

4. pensez-y / réfléchissez-y

Well, that's my decision, think it - - - - and let me know your answer.

5. en avoir assez, «marre»/ plein le dos / ras le bol

I am fed - - - - with him. – I am sick - - - - him.

6. rangez-les

Before leaving in the evening you should put - - - - your things.

7. je suis pour / c'est une bonne idée / cela me plaît

We went - - - - his idea but then thinking it over changed our minds.

8. prenez garde / faites attention

Before crossing the street you should-look - - - -.
-watch - - - -.

9. sortez! / partez!

Get - - - - or I'll call the cops.

10. a. oublier / b. se remettre / c. je n'en reviens pas

a. After John jilted her she couldn't get - - - - him.
b. He didn't get - - - - the flu for months. c. I can't get - - - - it.

11. continuer

She kept - - - - watching T.V. in spite of the noise.

12. être handicapé

He should be in the second class but he was kept - - - - because of the school strikes.

13. confondre / mélanger

If you say it slowly then you won't mix - - - - the ideas.

14. garder le rythme / la cadence

They won't possibly be able to keep - - - - the pace.

15. débarrassez-vous en (se débarrasser de)

She is sick of seeing him and would like to get rid - - - - him.

16. attendre avec impatience

We are all looking forward - - - - finishing these exercises.

17. cela dépend de vous

It's up - - - - you. It depends - - - - you.

18. mettre sur le tapis / venir à l'ordre du jour

Do you think it will come - - - - at next week's meeting?

19. achever / terminer / arriver au bout d'un travail

Unfortunately, I don't think we'll get - - - - all this work today.

VERBS AND PREPOSITIONS

1. * to be madly in love with / head over heels

Henry est encore éperdument amoureux de sa femme.

2. to take part in

Chaque année, l'armée prend part à une démonstration militaire.

3. to turn on / go for

Même un chien de police bien dressé attaquera son maître s'il a été provoqué.

4. think it over

Donc, voici ma décision, pensez-y et faites-moi connaître votre réponse.

5. * I'm fed up (with) / * I'm sick of

J'en ai assez de lui. − J'en ai marre de lui.

6. ...put away...

Avant de partir le soir, vous devez ranger vos affaires.

7. to go for an idea / suggestion, etc.

Cette idée nous a plu mais ensuite, après y avoir réfléchi, nous avons changé d'avis.

8. look out / watch out

Prenez garde quand vous traversez la rue.

9. get out!

Sortez ou j'appelle les flics.

10. a.b. to get over someone / something, c. I can't get over it = je n'en reviens pas

a. Après que J. l'eut plaquée, elle ne put s'en consoler. *b.* Il ne put se remettre de la grippe pendant des mois. *c.* Je n'en reviens pas.

11. to keep on...

Elle continue à regarder la T.V. malgré le bruit.

12. to (be) kept back

Il devrait être dans la seconde classe mais il a été retardé à cause des grèves (n'a pas monté de classe).

13. to mix up something or to be mixed up

Si vous le dites lentement, vous ne confondrez pas les idées.

14. to keep the pace up

Il ne leur sera pas possible de garder la cadence.

15. get rid of it

Elle en a assez de le voir et voudrait s'en débarrasser.

16. to look forward to

Nous attendons avec impatience d'avoir fini ces exercices.

17. it's up to you / it depends on you,

Cela dépend de vous.

18. to come up

Pensez-vous que cela viendra sur le tapis à la réunion de la semaine prochaine ?

19. to get through

Malheureusement, je ne pense pas que nous achèverons tout ce travail aujourd'hui.

18

1. annuler — The next class will be called - - - - because of the holidays.

2. gardez-en la trace / la liste — My sister has so many boyfriends that I can't keep track - - - - them.

3. essayer, passer un vêtement — My husband would like to try - - - - the black suit please.

4. réprimander — She made so many mistakes that he gave her a-good calling - - - - / -good dressing - - - -.

5. rattraper (du retard, etc.). — It will be hard to catch - - - - if you miss so many lessons.

6. refaites-le — The exercise wasn't good. Please do it - - - -.

7. emballer / envelopper — I would like to have them wrapped - - - - as gifts please.

8. où voulez-vous en venir? / quel but visez-vous? — What are you driving - - - -? aiming - - - -? hinting - - - -?

9. nettoyer — The party was marvelous but what a mess to clean - - - - after.

10. éclater — They certainly don't get on well. Arguments are always breaking - - - -.

11. de la part de / au nom de — Hello, I'm Peter, I am calling on behalf - - - - Joe.

12. elle est tombée en panne — Last week in the country my car broke - - - -.

13. il s'est avéré être / (s'avérer que) — I was sure it was Tom at the door but it turned - - - - to be Harry.

14. abandonner, renoncer — She never finishes what she starts, but gives - - - - in the middle.

15. déménager — We are moving - - - - tomorrow and going to live in the suburbs.

16. avoir pitié de — You should feel sorry - - - - people who are poor and ill.

17. prenez-en note — Take this - - - -.

18. barrez-le — Please cross - - - - all the mistakes.

19. réduire (les dépenses) etc. — We've spent all the month's money already! We just must cut down - - - - our expenses.

20. jetez un coup d'œil — Wow! Take a-look - - - - that sexy gal. -glance - - - -

VERBS AND PREPOSITIONS

1. to call off	La prochaine leçon sera annulée à cause des vacances.
2. keep track of it	Ma sœur a tellement d'admirateurs que je ne peux en faire la liste.
3. to try on	Mon mari aimerait essayer ce costume noir s.v.p.
4. to call someone down, (give someone a calling down) to give someone a dressing down	Elle fit tant de fautes qu'il la réprimanda sévèrement.
5. to catch up	Il sera difficile de rattraper tant de leçons perdues.
6. do it over	L'exercice n'était pas bon. Veuillez le refaire.
7. please wrap them up (to wrap up)	J'aimerais que vous les enveloppiez comme pour un cadeau s.v.p.
8. what are you driving at? / aiming at? / hinting at?	Quel but visez-vous? Où voulez-vous en venir?
9. to clean up	La réception fut merveilleuse mais quel gâchis à nettoyer!
10. to break out	Ils ne s'entendent certainement pas bien. Des disputes éclatent toujours entre eux.
11. on behalf of	Bonjour, je suis Peter, je vous téléphone de la part de Joe.
12. it broke down	La semaine dernière, ma voiture est tombée en panne dans la campagne.
13. it turned out to be	J'étais sûr que c'était Tom qui se trouvait à la porte, mais il s'est avéré que c'était Harry.
14. to give up	Elle ne finit jamais ce qu'elle a commencé et s'arrête à mi-chemin.
15. to move out	Nous déménageons demain et allons vivre en banlieue.
16. to feel sorry for	Vous devez avoir pitié des gens pauvres et malades.
17. take this down	Prenez-en note.
18. cross it out	Veuillez barrer toutes les fautes.
19. to cut down on	Nous avons déjà dépensé tout l'argent du mois. Nous devons maintenant réduire nos dépenses.
20. take a look at... / a glance at	Fichtre! Jetez un coup d'œil sur cette belle fille!

20

INTERMEDIATE

1. j'ai eu le souffle coupé / j'étais surpris / un peu choqué

That nasty remark was such a shock that I was too taken - - - - to answer.

2. porter (sur soi)

You must be cold. Look how many sweaters you have - - - -.

3. j'ai enfin compris que

At last it dawned - - - - me that I had been taken in all this time.

4. avoir envie de

Thank you but I really don't feel - - - - coffee.

5. être en mauvais état / avoir mauvaise mine

Why do you look so run - - - -?

6. remplissez-le (un document)

If you can fill - - - - this paper without making a mistake, that is very good.

7. rendre visite

We are calling - - - - them this afternoon. Would you like to come with us?

8. profitez-en

When the weather is nice, you should take advantage - - - - it and spend time outdoors.

9. se brouiller / avoir une brouille

What was your run - - - - about?
falling - - - -.

10. voir la question / étudier qq. / entreprendre qq.

When my sister is older I would like her to take - - - - law.

11. arrêter, supprimer

When did you cut - - - - smoking?

12. tenir de quelqu'un

It's amazing in how many ways your son takes - - - - you.

13. on ne pouvait l'expliquer (expliquer)

We couldn't account - - - - the night's losses.

14. j'en manque

Could you please pick up some cigarettes for me. I've run - - - -.

15. il a été écrasé

It's such a pity that her pet dog was run - - - -.

16. être pistonné / avoir des entrées / avoir des accointances

Does Mike have any pull - - - - the ministry?

17. abolir (être aboli)

Do you think wars will ever be done away - - - -?

18. Ils sont bien élevés

Whatever they say about her, her children are certainly well brought - - - -.

19. désirer

What would you care - - - -, meat or fowl?

20. voir partir qq'un / accompagner (lors d'un départ)

Airports are so sad that I hate seeing people - - - -.

VERBS AND PREPOSITIONS

1. I was too taken aback

Cette remarque désagréable me provoqua un tel choc que j'ai été trop surpris pour répondre.

2. you have on

Vous devez être frileux. Regardez combien de tricots vous portez.

3. It dawned on me

J'ai enfin compris que pendant tout ce temps-là, j'avais été berné.

4. to feel like

Merci, mais je n'ai vraiment pas envie d'un café.

5. ...to look (be) run-down

Pourquoi paraissez-vous si épuisé ?

6. to fill in (fill it in)

Si vous pouvez remplir cette formule sans une faute, c'est très bien.

7. to call on...

Nous leur rendrons visite cet après-midi, voulez-vous venir avec nous ?

8. take advantage of it

Quand il fait beau, vous devez en profiter pour sortir.

9. to have a run in / to have a falling out / or, to fall out

Pour quelle raison vous êtes-vous brouillés ?

10. to take up

Quand ma sœur sera plus âgée, j'aimerais qu'elle étudie le droit.

11. to cut out...

Quand avez-vous arrêté de fumer ?

12. to take after

C'est étonnant comme votre fils vous ressemble.

13. we couldn't account for it (to account for something)

Nous ne pouvons pas expliquer les pertes de la nuit.

14. I've run out

Voudriez-vous m'acheter des cigarettes ? J'en manque.

15. he was run over

Quel dommage que son chien préféré ait été écrasé.

16. to have pull in

Mike a-t-il ses entrées au ministère ?

17. to do (be done) away with

Pensez-vous que les guerres seront à jamais abolies ?

18. they're well brought-up

Quoi qu'on puisse dire d'elle, ses enfants sont certainement bien élevés.

19. to care for

Qu'est-ce que vous désirez... de la viande ou du gibier ?

20. to see someone off

Les aérodromes sont si tristes que je déteste voir partir quelqu'un (y accompagner qq'un).

INTERMEDIATE

1. survivre, s'en sortir — I doubt if he will pull - - - - another operation.

2. prenez contact avec moi — If you come to New York, please do get in touch - - - - me.

3. cela ne rentre pas — This explanation does not sink - - - -.

4. rencontrer par hasard — I was walking down the Champs-Elysées when I ran - - - - my boss and his wife.

5. fermer ses portes — The store had to close - - - - for repairs after the fire.

6. avoir un grand respect pour / admirer — Since he was a little boy, John has respected and looked up - - - - his father.

7. nous réglerons cela plus tard — We will settle - - - - later, let me pay now.

8. regarder de haut / mépriser / toiser — Until such time as nationalities stop looking down - - - - - other nationalities, there will be no peace.

9. faire escale — Each year I stop - - - - at Estoril.

10. je me sauve / je prends la clef des champs — Excuse me, I must take - - - -.

11. pourvoir à, subvenir — He has always provided well - - - - his kids in spite of their living apart.

12. mettre au monde — In June, Sue gave birth - - - - a baby boy.

13. être conscient de — Is the boss aware - - - - the problem?

14. veiller (tard) — She is used to staying - - - - late.

15. je me mettrai en quatre / je ferai l'impossible — I will bend over back - - - - to do what I can for him. — put myself - - - -.

16. ils l'ont ranimée — The patient was unconscious but the doctor finally brought her - - - -.

17. rompre — They've finally -broken - - - -.
-split - - - -.

18. rester à la maison — We are going to do nothing tonight, just stay - - - - and take it easy.

19. finir / terminer — This work must be knocked - - - - before the summer.

20. se mettre en route — We were late in getting started and didn't set - - - - till dusk.

21. être débordé / submergé de travail / avoir un boulot monstre — This is the time when we are — swamped - - - - work. — flooded - - - -.

22. visiter à l'improviste / passer voir qq'un — In France, unlike the U.S., people seldom -drop - - - - without phoning.
-pop - - - -.

VERBS AND PREPOSITIONS

1. to pull through...

Je doute qu'il s'en sorte s'il doit se faire opérer une autre fois.

2. ...get in touch with me

Si vous venez à New York, je vous en prie, contactez-moi.

3. it doesn't sink in

Cette explication ne rentre pas.

4. to run into someone

Alors que je descendais les Champs-Elysées, j'ai rencontré par hasard mon patron et sa femme.

5. to close down / up

Le magasin avait dû fermer ses portes pour réparer les dégâts causés par l'incendie.

6. to look up to someone

Depuis son enfance, John a un grand respect pour son père.

7. we'll settle up later

Nous réglerons cela plus tard, laissez-moi payer maintenant.

8. to look down on

Tant que les nations ne cesseront pas de mépriser les autres nations, il n'y aura pas de paix.

9. to stop off at / make a stop-off at

Chaque année, je fais escale à Estoril.

10. I take off

Excusez-moi, je dois vraiment partir.

11. to provide for

Il a toujours subvenu aux besoins de ses enfants bien qu'ils vivent séparés.

12. to give birth to

En juin, Sue donna naissance à un petit garçon.

13. to be aware of

Est-ce que le patron est conscient du problème?

14. to stay up (late)

Elle a l'habitude de veiller tard.

15. I'll bend over backward / put myself out

Je me mettrai en 4 pour faire ce que je peux pour lui.

16. they brought her to

La malade était inconsciente mais finalement le docteur la ranima.

17. to break up (couple) / to split up

Ils ont finalement rompu.

18. to stay in (not go out)

Nous ne ferons rien ce soir, nous resterons à la maison et prendrons nos aises.

19. * to knock off (work, etc.)

Ce travail doit être fini avant l'été.

20. to set out

Nous commençâmes tard et ne nous mîmes en route qu'à la nuit tombante.

21. to be swamped with / flooded with

C'est la période où nous sommes submergés de travail.

22. to drop in (on)

En France, contrairement aux U.S.A., les gens rendent rarement visite à l'improviste, sans téléphoner auparavant.

INTERMEDIATE

1. **c'est inévitable**

   Don't worry, he's bound - - - - figure out that we are here.

2. **cela vous remontera le moral**

   You look so blue. Let's go have a drink and see a movie, maybe that will cheer you - - - -.

3. **se fatiguer à / se tuer à**

   We knocked ourselves - - - - trying to finish by the dead-line.

4. **s'enfuir, s'échapper**

   It was the robbery of the century and all the thieves got - - - -

5. **consentir à / être d'accord**

   Would you be willing - - - - help me finish this week-end ?

6. **se fortifier / s'affermir**

   In Israel last year there was a serious build - - - - of arms due to the threat of war.

7. **s'installer**

   They will settle - - - - in a house just near his in-laws.

8. **causer / provoquer**

   Every time his mother-in-law comes to visit them she brings - - - - an argument.

9. **se fier à**

   I wouldn't confide - - - - her if I were you.

10. **avoir assez vu / en avoir par-dessus la tête**

    After the last run-in, I'm - - - - with trying to be nice with him.

11. **mettre sur la liste d'attente**

    There are no seats available. Would you like us to put you on the stand - - - - list ?

12. **prendre le parti de / soutenir (il a pris mon parti)**

    In case of war, I'm sure that France will stand - - - - - for the States.
    -back - - - - the States.

13. **être refroidi par**

    I was completely turned - - - - by the new guy after he spoke like that.

14. **on nous a coupés (téléphone)**

    I was speaking to London and then all of a sudden we were cut - - - -.

15. **hériter**

    The kids came - - - - a lot of money when their grandfather died.

16. **découpez-les**

    If you see interesting articles in the pages please cut them - - - - for me.

17. **revoir / vérifier**

    Have you gone - - - - the speech enough to give it this evening ?

18. **taisez-vous, / fermez-la**

    What you're saying is absurd. Please-shut - - - -.
    -hush - - - -.

19. **je l'ai trouvé par hasard**

    At the flea market I came - - - - the match to my candle stick.

VERBS AND PREPOSITIONS

1. he's bound to... it's bound to happen

Ne vous inquiétez pas. Il va sûrement imaginer qu'on est ici.

2. it will cheer you up

Vous paraissez bien triste. Allons boire quelque chose et voir un film, peut-être cela vous remontera-t-il un peu.

3. *to knock oneself out

Nous nous sommes démenés pour essayer de finir en temps voulu.

4. to get away

Ce fut le cambriolage du siècle et tous les voleurs purent s'échapper.

5. to be willing to...

Consentiriez-vous à m'aider à finir ce travail pendant le week-end ?

6. to build up (a build up)

Israël, l'année dernière, a sérieusement renforcé son armement en raison de la menace de guerre.

7. to settle down

Ils vont s'installer dans une maison tout près de ses beaux-parents.

8. to bring on...

Chaque fois que sa belle-mère vient les voir, elle provoque une dispute.

9. to confide in

Je ne me fierais pas à elle si j'étais vous; elle ne peut garder un secret.

10. to be through (with someone, something)

J'en ai assez. Après la dernière dispute je ne m'efforcerai plus d'être gentil avec lui.

11. to stand-by (a stand-by list)

Il n'y a plus de places libres, voulez-vous que l'on vous inscrive sur la liste d'attente ?

12. ...to stand up for / to back up someone (he stood up for me, backed me up)

S'il y a la guerre, je suis sûr que la France prendra le parti des U.S.A.

13. to be turned off (he turned me off)

J'ai été refroidi de l'entendre me parler de la sorte.

14. we were cut off

J'étais en communication avec Londres quand soudain on nous a coupés.

15. to come into money

Les gosses ont hérité d'une importante somme d'argent quand leur grand-père est mort.

16. cut them out...

Si vous trouvez des articles intéressants dans les journaux, veuillez me les découper.

17. to go over something

Avez-vous suffisamment revu le discours pour le prononcer ce soir ?

18. *shut up / hush up

Ce que vous dites est absurde. Taisez-vous donc.

19. to come across

Aux Puces, j'ai trouvé par hasard un chandelier identique à celui que j'avais déjà.

26

INTERMEDIATE

1. assouplir / roder (voiture)

   It is often difficult to break - - - - a new pair of shoes.

2. passez quand vous voulez

   We are open till 6 ; come - - - - when you have time. pass - - - -

3. faire attention à

   When driving you must pay attention - - - - ten things at once.

4. son compte est bon / il est fait comme un rat / son affaire est faite

   His number's - - - - now that the police have the lead.
   He's done - - - -.

5. où allez-vous / quelle est votre destination?

   Where are you folks-bound - - - -?
   -headed - - - -?

6. n'y pensez pas trop / ne pas ressasser

   Don't dwell - - - - the matter. That won't help.

7. essayez

   Usually when buying a car they let you try it - - - -.

8. déchiffrer / comprendre

   I couldn't figure - - - - what all the signs of the map meant.

9. rattraper le retard / le temps perdu

   If you miss a lesson, you'll have to make - - - - the work anyway.

10. je ne veux pas vous déranger

    Please don't bother ; I don't want to put you - - - - with cooking.

11. déchirez-le

    After you've read the letter, please tear it - - - -.

12. être remarqué

    Bardot stands - - - - in any group.

13. tenez parole / respectez l'accord / tenez bon

    If you make a deal with someone you are morally obligated to stick - - - - it.

14. économiser

    If you put - - - - the money you spend on cigarettes each week, you would be much richer.

15. engager

    Due to the increase in business he is forced to take - - - - more people.

16. c'est de famille

    Red hair runs - - - - our family.

17. échouer

    We made the most fabulous plans but they fell - - - - at the last minute.

18. médire / dénigrer

    What an evil tongue. She's always running - - - - her husband.

19. prendre du retard

    If you fall - - - - in your work, it is extremely difficult to catch up.

20. nous avons sympathisé tout de suite / se lier vite en amitié

    I took - - - - him right away ! What a guy.
    We hit it - - - -.

VERBS AND PREPOSITIONS

1. to break in (I'm breaking them in)	Il est souvent difficile d'assouplir une paire de chaussures neuves.
2. come over... / pass by	Nous sommes ouverts jusqu'à 6 heures; passez quand vous voulez.
3. to pay attention to	En conduisant, on doit toujours faire attention à mille choses à la fois.
4. *his number's up / he's done for	C'en est fait de lui (son compte est bon) maintenant que la police est sur la piste.
5. ...bound to / headed to / for	Quelle est votre destination, les amis?
6. don't dwell on it	Ne vous arrêtez pas tant sur ce problème, cela ne servira à rien.
7. ...try it out	Quand vous achetez une voiture, on vous laisse généralement l'essayer.
8. to figure out, or it out	Je n'arrivais pas à comprendre ce que signifiaient les signes sur la carte.
9. to make up (work)	Si vous manquez une leçon, vous aurez à rattraper le retard (temps perdu).
10. I don't want to put you out	Ne vous tracassez pas, je ne veux pas vous déranger en vous obligeant à me faire cuire quelque chose.
11. tear it up	Veuillez déchirer la lettre quand vous l'aurez lue.
12. to stand out	On remarque Bardot dans n'importe quel groupe.
13. ...stick to it	Quand vous faites un marché avec quelqu'un, vous êtes moralement obligé de tenir parole.
14. to put money away	Si vous économisiez l'argent que vous dépensez chaque semaine en cigarettes, vous seriez plus riche.
15. to take on (employees)	En raison du surcroît de travail, il est obligé d'engager plus de gens.
16. it runs in the family	Les cheveux roux, c'est de famille.
17. to fall through	Nous avons fait les projets les plus fabuleux mais ils ont échoué au dernier moment.
18. to run down	Quelle mauvaise langue! Elle ne fait que critiquer son mari.
19. to fall behind	Si vous prenez du retard dans votre travail, il est très difficile de le rattraper.
20. I took to him / we hit it off	J'ai sympathisé tout de suite avec lui. Quel type!

1. être à la hauteur	His father is such an important person that it will be hard for him to live - - - - to his reputation.
2. fabriquer	How many cars do they turn - - - - in one day in Detroit?
3. elle le tolère / supporte	Her husband's a drunk, but she must put - - - - with him for the children's sake.
4. s'évader / s'échapper de prison	The break - - - - was the biggest in this century.
5. consommer	That car is quite expensive as it uses - - - - a lot of gas.
6. se ranger à l'avis de qq'un	Having listened to them brought me - - - - to their way of thinking.
7. céder à	She is very spoiled because her parents always gave - - - - to her every whim.
8. quelque chose ne tourne pas rond / ce n'est pas catholique	Something doesn't add - - - -.
9. ils ont vidé leur querelle / se sont disputés	What an argument! They really had it - - - -.
10. détruire / balayer par	The factory was completely wiped - - - - by the flood. -cleaned - - - -.
11. congédier / mettre à la porte (ils l'ont mis à la porte)	After the strike. the company decided to lay - - - - all the participants.
12. rédiger un chèque / faire un chèque	Should I make the check - - - - to John personally?
13. se dédire / renier / ne pas tenir sa parole	She backed - - - - of the arrangement leaving me in a difficult position.
14. être très reconnaissant à qq'un	I'm very grateful - - - - you.
15. j'y tiens (y tenez-vous vraiment?)	Please go to that movie with me. I have my heart set - - - - seeing it. (I'm set - - - -.)
16. tout dépenser	I have already run - - - - the month's money.
17. « pigez » / saisir	If you catch - - - - to all these idioms, you're really doing well.
18. faire un clin d'œil	Who is that guy winking - - - - you?
19. racheter un fonds / reprendre	Printemps has bought - - - - many stores around it.

VERBS AND PREPOSITIONS

1. to live up to (a reputation) — Son père est un personnage si important qu'il lui sera difficile d'être à la hauteur de sa réputation.

2. to turn out (they turn out) — Combien de voitures fabriquent-ils par jour à Détroit?

3. she puts up with him — Son mari est un ivrogne, mais elle doit le supporter à cause des enfants.

4. to break out / a break out = une évasion — L'évasion fut la plus spectaculaire du siècle.

5. to use up — La voiture est très coûteuse car elle consomme beaucoup d'essence.

6. to bring around — Après avoir écouté leur entretien, je me suis rangé à leur avis.

7. to give in — Elle est très gâtée car ses parents lui cèdent tous ses caprices.

8. something doesn't add up — Il y a quelque chose qui ne tourne pas rond.

9. they had it out — Quelle dispute! Ils ont vraiment vidé leur querelle.

10. to be wiped out by (to wipe out / to be cleaned out) — L'usine a été complètement détruite par l'inondation.

11. to lay someone off (they laid him off) — Après la grève, la compagnie a décidé de congédier les grévistes.

12. to make out a check — Dois-je rédiger le chèque au nom de Jean?

13. she backed out (of.). — Elle s'est dédite de l'accord pris, me laissant dans une position difficile.

14. to be very grateful to someone — Je vous suis très reconnaissant.

15. I'm set on it (have my heart set on it); (are you set on it?) — Je vous prie, venez avec moi au cinéma. Je tiens à voir ce film.

16. to run through money — J'ai déjà dépensé tout l'argent du mois.

17. to catch on — Si vous saisissez tous ces idiomes, vous vous débrouillez vraiment bien.

18. to wink at — Qui est ce type, là-bas, qui vous fait un clin d'œil (de l'œil).

19. to buy up (bought it up) — Le Printemps a racheté les fonds de beaucoup de magasins aux alentours.

1. partir / s'enlever
2. Ils vont se venger de / prendre une revanche
3. cambrioler
4. exciter / provoquer / attiser
5. rebuter
6. il l'a berné / il l'a eu
7. posez-les!
8. j'ai mis les pieds dans le plat
9. s'enfuir (de)
10. faire place à
11. transmettre (une coutume)
12. cherchez-le
13. être emporté par / transporté par
14. raccrochez
15. contracter des dettes / faire des ardoises
16. on compte sur vous
17. prendre de la place
18. comment cela s'est-il passé? / déroulé?
19. juste pour rire / pour s'amuser
20. s'occuper de
21. écouter quelqu'un jusqu'au bout
22. critiquer

The spots will not come - - - - I'm quite sure.

The Arabs are determined to-get - - - - with the Israelis.
-get back - - - -.

Did you hear the way they broke - - - - the place last Tuesday?

They will stir - - - - trouble anywhere they can.

The location of the apartment put me - - - -.

A suave, quick talking guy can easily take - - - - a young naive girl.

Put them - - - - before you cut yourself.

Everything was going very well until I put my foot - - - - it by saying that.

When I was a child I ran - - - -   from three boarding-schools they had put me in.

Is it possible to make room - - - - one more?

That custom has been passed - - - - through the years.

If you don't know a word you should look it - - - -.

My enthusiasm runs - - - - with me when I see the colossal talent of Laurent Terzieff.

When you've finished speaking you hang - - - -.

His ex-wife has run - - - - bills all over town.

Remember to come! We're-counting - - - - you.
-relying - - - - you.

That horrible old chair takes - - - - too much space.

How did you make - - - - on the examination?

Come on! Try. Just-for the fun - - - - it.
-for the hell - - - - it.

Who is going to see - - - - getting us some more food?

Hear me - - - -.

He's always finding fault - - - - the work of his secretary.

VERBS AND PREPOSITIONS

1. to come off / out — Les taches ne partiront pas, j'en suis sûr.
2. they will get even with them / to get even with / get back on — Les Arabes sont décidés à se venger des Israéliens.
3. to break into — Avez-vous su la façon dont ils ont cambriolé l'endroit jeudi dernier ?
4. to stir up (trouble) — Ils provoqueront des troubles partout où ils pourront.
5. to put off — J'ai été rebuté par la location de l'appartement.
6. he took her in / she was taken in, etc. / to take in (be taken in) — Un garçon affable et beau parleur peut facilement berner une jeune fille naïve.
7. put them down! — Posez-les avant de vous couper.
8. I put my foot in it — Tout allait bien jusqu'à ce que je mette les pieds dans le plat en disant cela.
9. to run away (from) — Quand j'étais enfant, je me suis enfui de trois pensions où l'on m'avait mis.
10. to make room for — Est-il possible de faire place à une personne de plus ?
11. to pass down (a custom) — Cette coutume a été transmise à travers les âges.
12. look it up — Si vous ne connaissez pas un mot, vous devez le chercher dans le dictionnaire.
13. (it) runs away with me — Quand je vois le talent colossal de Laurent Terzieff, je suis emportée par mon enthousiasme.
14. hang up — Quand vous aurez fini de parler, vous raccrocherez.
15. to run up bills — Son ancienne femme a contracté des dettes en son nom dans toute la ville.
16. we're counting on you / relying on... — N'oubliez pas de venir ! Nous comptons sur vous.
17. to take up space (place) — Cette horrible vieille chaise prend bien trop de place.
18. how did you make out ? — Comment s'est passé votre examen ?
19. for the fun of it / *for the hell of it — Allez ! Essayez. Juste pour vous amuser.
20. to see about — Qui va s'occuper de nous procurer davantage de nourriture ?
21. to hear someone out — Attendez la fin. Ecoutez-moi jusqu'au bout.
22. to find fault with — Il critique toujours le travail de sa secrétaire.

32

INTERMEDIATE

1. donner	If you're ready to give that ring - - - - please think of me.
2. passer prendre	Be ready at 6 p.m.; we'll call - - - - you around then.
3. résoudre	Am I correct in assuming that the case was never cleared - - - -?
4. surveiller	I must go to the boss's office; please keep an eye - - - - the telephone.
5. poser un lapin	If you stand me - - - - this time I'm really through with you.
6. être refusé / refuser	She wanted to work for Air France but was turned - - - -.
7. interrompre une conversation	If two people are talking it isn't polite to break - - - -.
8. couper en morceaux	Before you cook the vegetables it's better to cut them - - - -.
9. faire le tour	Are there enough questions to go - - - -?
10. faire étalage de / faire de l'épate	She is such a snob always showing - - - - her expensive clothes / always putting - - - - airs.
11. remettre / donner (papiers, documents)	Time's up. Hand - - - - your papers please.
12. défaire ≠ assembler	Now that you've taken - - - - the puzzle see if you can put it - - - - again.
13. qu'est-ce que cela représente?	In the code each letter stands - - - - an agent's name.
14. supporter / tolérer (ils ne le supporteront pas)	If he continues to drink like that they won't stand - - - - it at the office.
15. étouffer / maîtriser / réprimer	The revolution was put - - - - by the government's troops.
16. s'adonner à / pratiquer	What sports do you go in - - - -?
17. il s'est enfin présenté	We didn't expect him to come at all, but he finally showed - - - - at 2 a.m.
18. rédiger (les documents) / établir	If you draw - - - - the papers now, I'll come by later to sign them.
19. quitter / abandonner	He didn't like the class so he dropped - - - -.
20. croire en	Do you believe - - - - God?

VERBS AND PREPOSITIONS

1. to give something away

Quand vous serez prêt à donner cette bague, pensez à moi !

2. to call for (to pick up)

Soyez prêts à six heures, nous passerons vous prendre vers cette heure-là.

3. to clear up something (mystery, etc.)

Suis-je dans le vrai quand je prétends que l'affaire n'a jamais été éclaircie ?

4. to keep an eye on

Je dois aller chez le patron, veuillez surveiller le téléphone.

5. to stand someone up (if you stand me up)

Si vous me posez un lapin cette fois-ci, j'en aurai réellement fini avec vous...

6. to be turned down (to turn someone down)

Elle voulait travailler pour Air France, mais elle a été refusée (éconduite).

7. to break in

Quand deux personnes parlent, il est impoli de les interrompre.

8. to cut something up

Il vaut mieux couper les légumes en morceaux avant de les faire cuire.

9. to go around?

Y a-t-il assez de questions pour tout le monde ?

10. to show off / to put on airs

Elle est tellement snob, elle fait toujours étalage de vêtements coûteux.

11. to hand in

C'est l'heure, remettez vos copies, s.v.p.

12. to take something apart ≠ to put something together

Maintenant que vous avez défait le puzzle, voyez si vous pouvez le reconstituer.

13. what does it stand for?

Dans le code, chaque lettre représente le nom d'un agent.

14. to stand for something (put up with)

S'il continue à boire comme cela, ils ne le supporteront pas au bureau.

15. to put down (a revolution, etc.) - to be put down

La révolution fut étouffée par les troupes du gouvernement.

16. to go in for (sports, etc.)

Quels sports pratiquez-vous ?

17. he finally showed up.

Nous ne comptions pas du tout sur lui, mais finalement il s'est présenté à deux heures.

18. to draw up (papers, etc.)

Si vous préparez les papiers maintenant, je passerai plus tard dans la journée pour les signer.

19. to drop out

Il n'aimait pas la classe, aussi il l'a quittée.

20. to believe in

Croyez-vous en Dieu ?

34

INTERMEDIATE

1. vous ne vous en sortirez pas / vous n'y échapperez pas

You can't commit crime after crime and expect to get away - - - - it.

2. se réconcilier

After their quarrel they kissed and made - - - -.

3. ne le révélez pas

This is a secret, please don't let it - - - - to anyone.

4. comment cela est-il arrivé (produit)

How did the accident come - - - -?

5. elle lui en veut

After their fight she really has it - - - - for him.

6. transmettre / donner la suite

He has decided to turn the business - - - - to his son.

7. sans cesse / continuellement

It has rained for three days without letting - - - -.

8. sortir / paraître / présenter

The fashion houses bring - - - - their collections twice a year.

9. rapportez-le

You can borrow this book if you promise to bring it - - - - next week.

10. ne quittez pas

Hold - - - - please.

11. bien finir / tout ira bien / s'arranger

Don't worry, everything will work - - - - all right.

12. liquider / liquidation

The sign in the window read "Big sale - Selling - - - -".

13. ralentir

If you slow - - - - a bit I can ask someone the way.

14. arrêtez de plaisanter / de perdre votre temps / cessez de faire la bête

Quit-fooling - - - - and get to work.
    -horsing - - - -.

15. donner sur

Her appartment looks - - - - on the Champs de Mars.

16. endurer / subir / traverser une période difficile

You will never understand what the prisoners went - - - - during the war.

17. tenir tête à

Her father disagreed, but she stood - - - - to him.

18. il lui a dit ses vérités

He didn't like their attitude so he told them - - - - in no uncertain terms.

19. le tout est là / tout vient de là / se réduire à

He is just no good; it all boils - - - - to that.

20. aimer beaucoup / raffoler de

He is quite-keen - - - - baseball.
    -mad - - - -
Baseball really turns him - - - -.

21. fâcher avec / en colère contre

After the fight, Sue remained quite-mad - - - - him.
    -cross - - - - him.
    -sore - - - - him.

VERBS AND PREPOSITIONS

1. you won't get away with it

Vous ne pouvez commettre crimes après crimes et compter vous en sortir.

2. to make up

Après leur querelle, ils s'embrassèrent et se réconcilièrent.

3. don't let it out

Ceci est un secret. s.v.p. ne le révélez à personne.

4. How did the accident come about?

Comment cela est-il arrivé ?

5. she has it in for him

Depuis leur dispute, elle lui en veut réellement.

6. to turn something over to (someone)

Il a décidé de transmettre l'affaire à son fils.

7. without letting up

Il pleut sans cesse depuis 3 jours.

8. to bring out (it was brought out)

Les maisons de mode sortent leurs collections deux fois par an.

9. bring it back

Vous pouvez emprunter ce livre si vous promettez de le rapporter la semaine prochaine.

10. hold on

Ne quittez pas, s.v.p.

11. everything will work out

Ne vous inquiétez pas, tout finira bien.

12. selling out

L'affiche sur la devanture indiquait : « Grande Vente-Liquidation du stock ».

13. to slow down

Si vous ralentissez un peu, je demanderai à quelqu'un le chemin.

14. quit fooling around / * horsing around

Arrêtez de perdre votre temps et travaillez.

15. to look out on

Son appartement donne sur le Champ de Mars.

16. to go through

Vous ne comprendrez jamais combien les prisonniers ont souffert pendant la guerre.

17. to stand up to someone

Son père n'était pas d'accord, mais elle lui tint tête.

18. he told them off

Il n'aima pas leur attitude, si bien qu'il les remit à leur place de façon nette.

19. it all boils down to that

En fait, il n'est pas bon, tout est là.

20. to be keen on /*mad about /*turned on (by)

Il aime beaucoup le baseball.

21. to be mad at / cross with (at) / sore at

Après la dispute, Sue resta très fâchée contre lui.

EARLY ADVANCED

1. chiper quelque chose

The boy made - - - - with the week's payroll.

2. je vous offre / c'est moi qui paye / c'est pour moi

Please, you're my guest; this is - - - - me.

3. être apparenté à

Is she the Bardot who is related - - - - the Bardot?

4. se laver

Soup's on! Let me show you where you can wash - - - -.

5. calmez-vous!

Don't be so excited. If you calm - - - -, you'll understand.

6. il a passé sa colère sur

The boss was very angry with him and he in turn took it - - - - on his wife that night.

7. décevoir (il m'a déçu, j'en ai été déçu, etc.)

Please don't let me - - - - again.

8. connaître tous les tenants et aboutissants / avoir une parfaite connaissance de

He knows all the ins and - - - -. Ask him.

9. se ranger à l'avis de qq'un

The group came - - - - my way of thinking after an hour.

10. revenir à soi / reprendre conscience

After the accident he didn't come - - - - for hours.

11. a) être doué pour / avoir la bosse de
    b) avoir le chic pour

He has a gift - - - - mathematics.
He has a knack - - - - rubbing people the wrong way.

12. diminuer peu à peu / décroître

Prices have been tapering - - - - in the last quarter, due to a tax hike.

13. être complètement idiot/ être bête

What a dunce! He's dead from the neck - - - -.

14. être gagné par / succomber à / être en proie à / tomber sous le coup de

They were overcome - - - - emotion when hearing about his death.

15. cacher son jeu

I don't know where he got that dough from. I think he's holding out - - - - us.

16. se plier à / suivre / se conformer à

All employees will have to abide - - - - the rules established by the union.

17. se savoir

When the news gets - - - - he will certainly be in trouble.

18. vieillir / prendre de l'âge

He is getting - - - - in years.

19. un coup monté

What a put - - - - job; he really got taken in.

VERBS AND PREPOSITIONS

1. to make off with something

Le garçon chipa la paie de la semaine.

2. this is on me

S'il vous plaît, vous êtes mon invité, c'est moi qui paye.

3. to be related to

Est-ce (que c'est) la Bardot qui est apparentée à la Bardot?

4. to wash up

La soupe est prête, laissez-moi vous montrer où vous pouvez vous laver les mains.

5. calm down!

Ne soyez pas si excité, calmez-vous et vous comprendrez.

6. he took it out on her

Le patron était très en colère après lui et, à son tour, il a passé sa colère sur sa femme cette nuit-là.

7. to let someone down (I was let down)

S.v.p., ne me décevez pas à nouveau.

8. to know all the ins and outs

Il connaît tous les tenants et aboutissants. Adressez-vous à lui.

9. to come around to

Après une heure le groupe s'est rangé à mon avis.

10. to come to

Après l'accident il est resté des heures avant de revenir à lui.

11. to have a gift for / a knack for

a) Il a la bosse des maths. b) Il a le chic pour prendre les gens à rebrousse-poil.

12. to taper off

Les prix ont baissé graduellement ce trimestre à la suite d'une augmentation d'impôts.

13. * to be dead from the neck up

Qu'il est bête! Il est complètement idiot!

14. to be overcome by / with

Ils furent gagnés par l'émotion lorsqu'ils apprirent sa mort.

15. to be holding out on

Je ne sais pas d'où vient son fric. Il cache bien son jeu.

16. to abide by

Tout le personnel devra se plier aux règles établies par les syndicats.

17. to get out

Quand la nouvelle sera connue, il aura certainement des ennuis.

18. to get on in years

Il vieillit.

19. a put-up job

C'était un coup monté. Il a vraiment été berné.

1. méconnaître / ignorer

Politicians are often oblivious - - - - some of the problems in their areas.

2. commencer / démarrer / faire le premier pas

The hardest part of the whole process was to start - - - - the machines.

3. se dégonfler / flancher / finir en queue de poisson

What many said about the film " Belle de Jour " was that the ending was a cop - - - -.

4. avoir une dent contre qq'un

He held a grudge - - - - her for a long time.

5. ne pas se rouiller / s'entretenir

Ever since he left the market, he keeps his hands - - - - stock as a sideline.

6. être tiré à 4 épingles / être sur son trente et un

I wonder what's up that he's all-spruced - - - -.
-dressed - - - -.

7. aborder / effleurer le sujet

We just touched - - - - the problem today; we'll come back to it.

8. laisse tomber / ne remue pas le fer dans la plaie / n'insiste pas

I know that it was a stupid thing to do. Don't rub it - - - -.

9. courir le jupon / être un coureur

He hasn't stopped-playing - - - - since their marriage.
-running - - - -.

10. être relâché

The police arrested him but he got - - - - due to his lawyer's help.

11. mettre le holà / faire acte d'autorité

While the cat's away the mice will play, but when the boss comes back he will-put his foot - - - -.
-crack - - - -.

12. se rentrer dedans

They were going so fast that they bumped - - - - each other.

13. montrer le bout de l'oreille / commencer à percer / à filtrer / à se savoir

The newspapers leaked - - - - that a tax hike was coming.

14. ne pas marcher / ne pas compter sur

What! Not a yacht, just a rowing boat. Count me - - - -.

15. se passer

What's - - - -? What's going - - - -?

16. être arrangé / rafistolé, raccommodé, rabiboché

Don't worry. All is -fixed - - - - now.
-patched - - - - now.

17. ne pas voir d'issue / ne pas savoir de quel côté se tourner

At present he sees no way - - - - of the mess caused by the accident.

18. il se trame / il se mijote .

I haven't had an answer yet. Something's - - - - with them.

VERBS AND PREPOSITIONS

1. to be oblivious to

Les politiciens sont souvent ignorants de certains problèmes de leurs régions.

2. to start off

Le plus dur fut de mettre la machine en marche (de démarrer).

3. * to be a cop-out (to cop-out)

Nombreux sont ceux qui reprochent au film « Belle de Jour » de finir en queue de poisson.

4. to have a grudge against

Il lui en a tenu rigueur (il a eu une dent contre lui) pendant longtemps.

5. to keep one's hands in

Depuis qu'il a quitté la Bourse, il en a fait son violon d'Ingres (a continué à s'y intéresser — y a gardé un pied).

6. *to be all spruced up / dressed up

Je me demande ce qui se passe et pourquoi il est sur son trente et un.

7. to touch on

Nous n'avons fait qu'effleurer le problème aujourd'hui ; nous y reviendrons la prochaine fois.

8. don't rub it in

Je sais que c'était parfaitement stupide. N'insistez pas (ne remuez pas le fer dans la plaie).

9. to play (fool) around / to run around

Il n'a cessé de courir le jupon depuis son mariage.

10. to get off

La police l'a arrêté mais il a été relâché grâce à l'aide de son avocat.

11. to put one's foot down / to crack down

Quand le chat n'est pas là les souris dansent, mais quand le patron reviendra il y mettra le holà (fera acte d'autorité).

12. to bump into each other

Elles allaient si vite qu'elles se sont rentrées dedans.

13. to leak out

Les journaux ont laissé filtrer une éventuelle augmentation des impôts.

14. to count s.o. out

Ce n'est pas un yacht mais une barque ! Ne comptez pas sur moi !

15. to be up / to be going on

Qu'est-ce qui se passe. Qu'est-ce qu'il y a ? Qu'est-ce qui arrive ?

16. to be fixed up / to be patched up

Ne vous en faites pas. Tout est maintenant arrangé.

17. to see no way out

Pour l'instant il ne voit pas d'issue (de solution) à la situation créée par l'accident.

18. something's up

Je n'ai pas encore de réponse de leur part. Il se mijote (trame) quelque chose.

EARLY ADVANCED

1. c'est du baratin / du bluff / du chiqué

   Don't believe her. It was all put - - - -.

2. rendre la monnaie de sa pièce

   He has the top hand now, but I'll pay him - - - - for what he said.

3. que joue-t-on?

   What's - - - - at the Olympia this week?

4. faire la sourde oreille

   John asked his boss for a raise again, and again he turned a deaf ear - - - - him.

5. être comble / plein à craquer / être bondé

   The theatre is — packed - - - - kids.
                       — swamped - - - -
                       — crammed - - - -

6. être révélé / se savoir

   It will surely come - - - - that T. was the one who did it.

7. rembourser / compenser

   Why should you expect the company to make - - - - for the loss?

8. exécuter

   If I go away, please make sure that all the orders are carried - - - -.

9. accélérer / activer

   If we can step - - - - production, we'll be ahead of last year.

10. sonner (réveil) / exploser (dynamite)

    Excuse me for being so late but my clock went - - - - late this morning.

11. décourager / jeter un froid

    The rain put a damper - - - - our plans for a picnic.

12. avoir un compte à régler/ avoir une revanche à prendre

    How about a coffee? I have a bone to pick - - - - you.

13. rencontrer de l'opposition / tomber sur un os

    She will run - - - - problems if she tries to go over his head.

14. brûler / détruire par le feu

    Last year the big department store was burned - - - -.

15. ça chauffe / ça barde / être sur les dents

    The heat's - - - -.

16. ça remonte / c'est un bon remontant

    You look terrible. Take a glass of this. It's a real pick - - - -.

17. venir

    If he comes - - - - I'll speak with him about it.

18. grandir

    I can't believe that's your son. How he has grown - - - -.

19. donner raison à qqn / confirmer les prévisions

    The events bear me - - - -.

20. couper le souffle

    When he said that to his wife, it took my breath - - - -.

VERBS AND PREPOSITIONS

1. to be all put on

Ne la croyez pas. Tout est du bluff.

2. to pay s.o. back

Il a le dessus pour l'instant mais je lui rendrai la monnaie de sa pièce.

3. what's on?

Que joue-t-on à l'Olympia cette semaine?

4. to turn a deaf ear to

John a demandé une nouvelle augmentation à son patron mais celui-ci a fait la sourde oreille.

5. to be packed / swamped / crammed with

La salle (de théâtre) est comble/pleine à craquer (d'enfants).

6. It will come out

Cela se saura sûrement que T. est celui qui l'a fait.

7. to make up for something

Pourquoi voudriez-vous que la compagnie vous rembourse (fasse les frais de) la perte?

8. to carry out

Si je pars, veuillez vous assurer que tous les ordres sont exécutés.

9. to step up

Si nous pouvons accélérer (activer) la production, nous dépasserons le chiffre de l'an dernier.

10. to go off

Excusez-moi d'être en retard mais mon réveil a sonné en retard ce matin.

11. to put a damper on

La pluie a déjoué nos plans de pique-nique.

12. to have a bone to pick with someone

Que diriez-vous d'un café? J'ai un compte à régler / une revanche à prendre avec vous.

13. to run into opposition (problems)

Elle se trouvera devant des tas de problèmes si elle essaie d'agir derrière son dos.

14. to burn up / down

L'année dernière le grand magasin a été détruit par le feu.

15. *The heat's on

Ça chauffe.

16. It's a pick-me-up

Vous semblez exténué. Prenez un verre de ceci. C'est un bon remontant.

17. to come over

S'il vient je lui en parlerai.

18. to grow up

Je ne peux pas croire que ce soit votre fils, tant il a grandi.

19. to bear someone out

Les événements me donnent raison.

20. to take someone's breath away

J'ai eu le souffle coupé de l'entendre dire cela à sa femme.

42

1. laisser passer la tempête / laisser les choses se calmer

Wait till the thing blows - - - - before asking for some more money.

2. tenir le coup

The company will have to stick it - - - - till the strike's over.

3. s'entraîner / répéter

The band is warming - - - -.

4. rater / manquer

You missed - - - - on a marvelous evening last night.

5. a) être cafardeux / ne pas avoir le moral b) être fauché

a) I'm down and - - - - over the latest war news.
b) I'm down and - - - -.

6. ce n'est pas à dédaigner / il ne faut pas cracher dessus

Take it. An offer like that isn't to be sneezed - - - -.

7. tancer vertement qqn

Jones gave him a good talking - - - - after the faux pas was made.

8. donner sa langue au chat

Tell me. I give - - - -.

9. jouer le jeu

Play (go) - - - - with him till we find out the real story.

10. foncer tête baissée

What a lack of tact. He first jumps - - - - and worries about the result after.

11. attribuer à / mettre sur le compte de

Put it - - - - to ignorance.

12. en connaître un rayon / ne pas être né d'hier

Watch out for him. He's shrewd and has been - - - -.

13. être à bout / vanné / fourbu

I'm all - - - -.

14. la situation demande

Firing anyone calls - - - - a diplomatic touch.

15. ne prends pas la mouche / ne t'emballe pas / n'en fais pas un drame

Don't bite my head - - - -; it was only a suggestion.

16. faire avec / se débrouiller avec

You can get - - - - on ten dollars a week in India.

17. ne rien valoir

I wouldn't give you two cents for that book; it isn't worth the paper it's written - - - -.

18. liquider / zigouiller / descendre quelqu'un

The gangster was – bumped - - - - by the ringleader.
– knocked - - - -.

19. avoir le cœur gros

She has been eating her heart - - - - since Tom walked out.

VERBS AND PREPOSITIONS

1. to wait till it blows over

   Attendez que la tempête se soit calmée pour demander plus d'argent.

2. to stick something out

   La société devra tenir le coup jusqu'à la fin des grèves.

3. to warm up

   L'orchestre s'entraîne.

4. to miss out on

   Hier vous avez manqué une merveilleuse soirée.

5. to be down and out

   a) Je suis cafardeux depuis que j'ai appris les dernières nouvelles de la guerre ; b) Je suis fauché.

6. * it isn't to be sneezed at

   Prenez-le. Une occasion comme celle-ci n'est pas à dédaigner.

7. to give someone a talking-to

   Après le faux pas Jones le tança vertement.

8. to give up

   Dites-le moi. Je donne ma langue au chat.

9. to play (go) along with someone

   Jouez le jeu (avec lui) jusqu'à ce qu'on sache la vérité.

10. to jump in

    Quel manque de tact. Il fonce tête baissée et s'inquiète du résultat ensuite.

11. to put something down to

    Mettez-le sur le compte de l'ignorance.

12. to have been around

    Méfie-toi de lui, il est roublard, il n'est pas né d'hier.

13. to be all in

    Je suis vanné / fourbu / à bout.

14. the situation calls for (tact, etc.)

    Licencier quelqu'un demande beaucoup de tact et de diplomatie.

15. * to bite s.o.'s head off

    Ne prenez pas la mouche ; c'était seulement une suggestion.

16. you can get by on

    En Inde, vous pouvez vous débrouiller avec $ 10 par semaine.

17. not to be worth the paper it's written on

    Je ne vous donnerais pas deux sous pour ce livre, il ne vaut rien.

18. * to be bumped off / * knocked off

    Le gangster s'est fait descendre par le chef de la bande.

19. to eat one's heart out

    Elle se ronge depuis que Tom l'a quittée.

1. avoir du flair / avoir du nez

   Sue has a nose - - - - a bargain.

2. donner un coup de balai / faire table rase

   They made a clean sweep - - - - it and decided to start again.

3. s'emballer / s'enthousiasmer

   He is gung ho - - - - the idea of beginning Russian next year.

4. être mordu / s'amouracher de / s'enticher de

   He went — ape - - - -
   — flipped - - - - the new girl.

5. être ravi de / prendre plaisir à

   He delights - - - - seeing his grandchildren,

6. dénicher / dégoter

   Where did you dig - - - - that old lighter?

7. il n'arrive pas à la cheville de qqn

   Harry plays cards well but can't hold a candle - - - - his brother.

8. se mettre hors de soi / sortir de ses gonds

   Jack gets his Irish - - - - whenever race questions are mentioned.

9. garder

   My best advice to you is to hang - - - - to the stocks for a longer period.

10. mettre les points sur les « i » / faire un dessin

    Do I have to spell it - - - - or do you get the picture?

11. dîner à la maison

    We are eating - - - - this evening.

12. ne rien savoir / ne savoir que dalle

    I don't know beans - - - - the whole thing.

13. être séparé de

    Alain has been estranged - - - - his wife for five years.

14. filer le maxi / infliger la peine maximale

    They threw the book - - - - him for peddling the stuff to kids.

15. (ne pas) être juste pour

    It's not fair - - - - the others to go now when they are too busy to join us.

16. être le portrait / le sosie de

    The mug was a dead ringer - - - - the hold-up guy.

17. ne pas avoir le goût / le moral / la santé de faire qq.ch.

    I don't feel - - - - to going to the game this afternoon.

18. c'est flagrant / c'est cousu de fil blanc

    That remark was a dead give - - - - that the knew the real reason for Tom's absence.

19. se débrouiller / voler de ses propres ailes

    What a world! Each man has to fend - - - - himself.

20. rudoyer qq'un / traiter qqn avec rudesse

    She rode roughshod - - - - him and did what she wanted to.

21. écrire en vitesse / griffonner un mot

    I just have a sec. to dash - - - - a note to my family.

1. to have a nose for (a bargain)

Elle a du flair pour repérer les affaires.

2. to make a clean sweep of

Ils ont fait table rase et ont décidé de recommencer.

3. * to be gung ho on / about

Il s'emballe à l'idée de commencer le russe l'an prochain.

4. * to go ape over / * flip over

Il s'enticha de la nouvelle fille.

5. to delight in

Il est ravi de voir ses petits-enfants.

6. * to dig up something

Où avez-vous dégoté ce vieux briquet ?

7. he can't hold a candle to someone

Henri joue bien aux cartes mais il ne vient (n'arrive) pas à la cheville de son frère.

8. to get one's Irish up

La moutarde lui monte au nez quand on aborde les questions raciales.

9. hang on (to something / someone)

Un bon conseil : gardez vos actions pendant plus longtemps.

10. (to have) to spell it out

Dois-je vous mettre les points sur les « i » ?

11. to eat in (≠ out)

Nous dînons à la maison ce soir.

12. * not to know beans about something

Je ne sais absolument rien de toute cette affaire.

13. to be estranged from

Alain est séparé de sa femme depuis 5 ans.

14. to throw the book at someone

Ils lui ont infligé la peine maximale pour avoir vendu de la drogue aux enfants.

15. it isn't fair to

Ce n'est pas juste pour les autres de nous en aller maintenant alors qu'ils sont trop occupés pour venir avec nous.

16. to be a dead ringer for

Le type était le sosie frappant du gars du hold-up.

17. to feel up to (+ ing)

Je n'ai pas envie d'aller au match cet après-midi.

18. to be a dead give-away

Cette remarque était la preuve flagrante qu'il connaissait la vraie raison de l'absence de Tom.

19. to fend for oneself

Quel monde ! Chacun doit se débrouiller.

20. to ride roughshod over

Elle l'a traité sans égard et en a fait à sa tête.

21. to dash off

Je n'ai qu'une seconde pour griffonner un mot à la famille.

1. donner sa tête à couper que / mettre sa main au feu que	I'd stake my life - - - - it. I'm sure he was the robber.
2. engueuler qq'un	She can dish it - - - - but she can't take it.
3. être de pure invention / inventé de toutes pièces	The fight was a hoax, completely trumped - - - -.
4. chercher des compliments	Stop fishing - - - - compliments.
5. être injustifié / injuste	The remark was completely uncalled - - - -.
6. se décontracter / se laisser aller	With a few drinks in her she really let her hair - - - -.
7. tirer les vers du nez de qqn	After two hours she finally wormed out - - - - him what he was going to buy her as a birthday gift.
8. une confrontation / la phase finale	There is certain to be a show - - - - between the two men over who is to be the one to take over when Tom retires.
9. a) être facile comme bonjour / b) tout gober	a) This work is a push - - - -. b) She is a push - - - - for any story.
10. je n'aime pas / je n'en raffole pas	No thanks. I'm not much - - - - spinach.
11. c'est à marquer sur vos tablettes	That certainly is something to write home - - - -.
12. passer à tabac / tabasser / donner une raclée	The gang − worked him - - - -. − beat him - - - -.
13. tromper	She has been cheating - - - - him since the first days of their marriage.
14. s'amuser / prendre plaisir à	We got a kick - - - - of the kids play.
15. s'aviser / se rendre compte / ouvrir les yeux	He - wised - - - -. - smartened - - - - when he saw the worker - taking advantage of him. - got - - - - it.
16. contestation et participation	The 1960's were marked by sit - - - -, love - - - - and turnings - - - -.
17. en voir des vertes et des pas mûres / de toutes les couleurs	He gave her a rough time - - - - it for two years till she finally divorced him.
18. minimiser / faire peu de cas de	The President is trying to play - - - - the scandal

VERBS AND PREPOSITIONS

1. to stake one's life on something

J'en donnerais ma tête à couper. Je suis sûr que c'était lui le voleur.

2. * to dish (it) out

Elle fait facilement des réflexions mais n'accepte pas qu'on lui rende la pareille.

3. to be trumped up

La dispute n'était qu'une feinte inventée de toutes pièces.

4. * to fish for compliments

Arrêtez de chercher des compliments.

5. to be uncalled for

Cette remarque était tout à fait injustifiée.

6. to let one's hair down

Au bout de quelques verres elle était tout à fait décontractée.

7. to worm something out of someone

Au bout de deux heures elle a réussi à lui faire dire ce qu'il allait lui acheter pour son anniversaire.

8. a showdown

Il y aura certainement une confrontation entre les deux hommes pour savoir lequel prendra la suite lorsque Tom prendra sa retraite.

9. *to be a push-over

a) Ce travail est facile comme bonjour. b) Elle gobe n'importe quoi.

10. not to be much on

Non merci, je n'aime pas les épinards.

11. that's something (not) to write home about

C'est vraiment extraordinaire. Bravo !

12. to work someone over / to beat someone up

Ils l'ont passé à tabac.

13. to cheat on someone

Elle le trompe depuis les premiers jours de leur mariage.

14. * to get a kick out of

Nous avons eu plaisir à voir la pièce des enfants.

15. *to wise up / to smarten up / to get with it

Quand il vit que l'ouvrier profitait de lui, il comprit.

16. "Sit-ins" / "love-ins" / "turnings-ons" (new words which are almost impossible to translate)

Les années 60 ont été sous le signe de la contestation et de la participation (sit-in = grève sur le tas, love-in = idem pour l'amour, turnings-on = se mettre dans le coup).

17. to give someone a rough time of it

Elle en a vu des vertes et des pas mûres pendant deux ans, jusqu'à ce qu'elle divorce.

18. to play down

Le Président essaie de minimiser le scandale.

EARLY ADVANCED

1. surveiller / épier / espionner

   Her husband has been keeping tabs - - - - her since he suspects she's cheating.

2. être du pareil au même / bonnet blanc et blanc bonnet

   Choose which one you like. For me it's a toss - - - -.

3. déclencher / servir de catalyseur

   The strike triggered - - - - a hike in prices.

4. se calmer / se ralentir

   Work has been easing - - - - for a few days.

5. ne rien ficher

   We goofed - - - - all day and then snapped to it when the boss came back late in the afternoon.

6. flatter qqn / faire du charme / passer de la pommade

   He's buttering - - - - the boss hoping for a raise in the spring.

7. être en cheville avec qqn / être d'intelligence / de mèche

   She works hand in glove - - - - the rival company in the publicity effort.

8. avoir une relation / un rapport

   Was there a tie - - - - between the two killings?

9. conduire à / se terminer par

   He'll land - - - - jail for that break out if they get him.

10. condamner à

    The convict was sentenced - - - - 6 more years of prison for attempting the break.

11. se méfier de

    I would be leery - - - - another meeting with them if I were you.

12. faire accepter

    Were you able to put the idea - - - - at the meeting?

13. battre à plate couture / écraser

    Jack will lick the pants off - - - - Tom if he starts again.

14. être camé

    She has been hooked - - - - drugs for five years.

15. en faire tout un plat / ce n'est pas la mer à boire

    Don't make such a production out - - - - it; if we help you will be able to finish it on time.

16. être intrigué par / ne pas comprendre

    We were all puzzled - - - - the lunar eclipse in 1970.

17. tirer son épingle du jeu / retirer

    The Americans are pulling - - - - due to the endless strikes.

18. on ne peut compter sur lui que quand tout va mal

    The only time he's been faithful to anyone is when the chips are - - - - for him.

19. tout se paye

    Don't worry. She'll get hers some day. Everything evens - - - - in the end.

VERBS AND PREPOSITIONS

1. to keep tabs on someone

Son mari la surveille depuis qu'il la suspecte de le tromper.

2. it's a toss-up

Choisissez celui que vous voulez. Moi, cela m'est égal.

3. to trigger off

La grève déclencha une hausse des prix.

4. to ease up (off)

Le travail se ralentit depuis quelques jours.

5. * to goof off

Nous n'avons rien fichu de toute la journée et nous nous y sommes mis lorsque le patron est rentré en fin d'après-midi.

6. * to butter up someone

Il fait du charme au patron, espérant ainsi obtenir une augmentation au printemps.

7. to work (be) hand in glove with

Elle est en cheville avec la société rivale en ce qui concerne la publicité.

8. there is a tie-in

Y avait-il un rapport entre les deux meurtres ?

9. to land in

S'ils l'attrappent, il terminera sa vie en prison pour avoir pris la fuite.

10. to sentence to

Le criminel a été condamné à six ans de plus pour avoir tenté de fuir.

11. to be leery of

Si j'étais vous, je me méfierais d'une nouvelle rencontre avec eux.

12. to put the idea across / over

Avez-vous pu faire accepter cette idée lors de la réunion ?

13. * to lick the pants off of s.o.

S'il recommence, Jacques le battra à plate couture.

14. to get (be) hooked on

Elle se came depuis cinq ans.

15. to make a production out of something (work...)

N'en faites pas toute une histoire, si nous vous aidons, vous pourrez le finir à temps.

16. to be puzzled by

Personne ne s'est expliqué (tout le monde a été intrigué par) l'éclipse de lune de 1970.

17. to pull out (something / of some place)

Les Américains (re)tirent leur épingle du jeu à cause des grèves interminables.

18. the chips are down (for s.o.)

Le seul moment où il est fidèle à quelqu'un c'est lorsqu'il est perdant.

19. everything evens out

Ne vous en faites pas. Son tour viendra. Un jour ou l'autre elle paiera.

1. tirer le diable par la queue / être sans le sou

At the end of the month everyone is hard - - - -.

2. mettre son grain de sel / * ramener sa fraise

Can I please put my two cents - - - -?

3. remporter un succès fou/ brûler les planches / se faire applaudir à tout rompre

La Callas in Paris always brings the house - - - -.

4. intriguer / comploter / manigancer

What is Jim up - - - - that he is so quiet?

5. ruminer

Chew it - - - - and let me know.

6. se livrer

He was hunted all over France and then finally turned himself - - - -.

7. garder une situation

Because of drink he's never been able to hold - - - - a job for more than a few years.

8. ne pas avoir de temps à perdre

I have no use - - - - people who lie all the time.

9. être enclin à / pencher pour

I'm inclined - - - - agree with you.

10. parier

Do you want to wager - - - - it?

11. être mêlé à / impliqué dans

How did your sister get involved - - - - such a shady group of characters?

12. prier qqn

You are welcome - - - - whatever you like.

13. être contracté / tendu / avoir les nerfs en pelote

Before a premiere she is always very keyed - - - -.

14. se rendre compte de la chance que l'on a

I don't understand why he wants to quit; he doesn't know when he's well - - - -.

15. être prévu sur la liste / être sur les rangs

Jerry is in line - - - - the next promotion.

16. aller au fond des choses

We must get to the bottom - - - - the problem.

17. flirter avec / faire des avances

He made a pass - - - - the boss's wife and was really lucky that it went unnoticed.

18. provoquer soi-même une situation

Don't complain now. You brought the whole situation - - - - yourself.

19. a) décéder / b) casser sa pipe

Smith – a) passed - - - - last week.
– b) kicked - - - -.

20. ne pas avoir idée de / ne pas soupçonner

He had no inkling - - - - the difficulty.

VERBS AND PREPOSITIONS

1. * to be hard up — A la fin du mois tout le monde tire le diable par la queue.

2. to put one's two cents in (stick) — Puis-je mettre mon grain de sel ?

3. to bring the house down — A Paris la Callas remporte toujours un succès fou.

4. to be up to — Qu'est-ce que Jim est en train de manigancer pour qu'il soit si calme ?

5. * to chew over — Ruminez-le et faites-moi savoir votre décision.

6. to turn oneself in — Il était poursuivi dans toute la France et a fini par se livrer.

7. to hold down a job — Il boit tellement qu'il ne peut pas garder une situation plus de quelques années.

8. to have no use for — Je n'ai pas de temps à perdre avec les gens qui mentent tout le temps.

9. to be inclined to (agree with) — Je pencherais pour votre avis.

10. to wager on it — Voulez-vous parier ? (Vous pariez ?)

11. to get involved with — Comment votre sœur a-t-elle été compromise par de tels individus ?

12. to be welcome to — Je vous en prie, prenez ce que vous voulez.

13. to be keyed up — Avant une première, elle est toujours très contractée.

14. not to know when one is well off — Je ne comprends pas pourquoi il veut démissionner ; il ne se rend pas compte de la chance qu'il a.

15. to be in line for — Jacques est prévu sur la prochaine liste de promotion.

16. to get to the bottom of — Nous devons aller au fond des choses.

17. * to make a pass at someone — Il a fait des avances à la femme du patron et a vraiment eu de la chance que personne ne l'ait remarqué.

18. to bring it on oneself — Ne vous plaignez pas maintenant. C'est vous qui avez tout provoqué.

19. a) to pass away / b) *to kick off — Smith est mort la semaine dernière.

20. to have no inkling of (an inkling) — Il n'avait aucune idée de la difficulté.

1. remonter à / se rattacher à

The whole problem in the family stems - - - - the mother's competition with the daughter.

2. seriner / rabâcher qq.ch. à qqn

All his life they drummed - - - - him that women are inferior.

3. jouer le rôle principal

Who was the Swedish actress who starred - - - - his last film?

4. blague à part

Kidding - - - -, what do you think?

5. prendre son mal en patience / tenir le coup

You will have to sweat it - - - - till the results are given.

6. être 'acheté / se vendre

The leader bought - - - - the cop on the beat.

7. aux dépens de

The joke was very funny but not at the expense - - - - someone like that.

8. chercher trop loin / chercher des complications

I think you're reading more - - - - it than is justified.

9. se donner corps et âme / faire le maximum

The personnel department went all - - - - trying to get the workers a raise.

10. revoir rapidement / vérifier

Let's run - - - - the figures and you'll see that the mistake isn't mine.

11. y être pour quelque chose

Did de Gaulle have a hand - - - - getting Pompidou elected?

12. créer / fonder

He recently set - - - - the company in Latin America.

13. aller jusqu'au bout (des choses) jusqu'au fond du problème

If you begin the compaign, you'll have to see it - - - -.

14. la critique de / l'article sur

The write - - - - of the play in the « Monde » was just crummy.

15. être absolument opposé à

The Americans are dead set - - - - a tax-hike now.

16. terrasser / foudroyer / abattre

His brother was struck - - - - while serving in Vietnam.

17. se remettre de / surmonter

His family will never live - - - - the shame of Harry's having robbed the bank.

18. faire un coup d'État / prise de pouvoir

A while ago there was a take - - - - by the Generals in Greece.

19. ne pas venir à l'esprit

It never occurred - - - - me that he didn't understand what I was saying.

20. persuader qqn de changer d'avis

He talked me - - - - of the idea which wasn't very good anyway.

VERBS AND PREPOSITIONS

1. to stem from

Tout le problème dans la famille vient de la rivalité entre la mère et la fille.

2. to drum something into someone

On lui a rabâché toute sa vie que les femmes sont inférieures.

3. to star in

Quelle était la vedette suédoise qui tenait le rôle principal dans son dernier film ?

4. kidding aside

Blague à part, qu'en pensez-vous ?

5. *to sweat something out

Vous devrez prendre votre mal en patience jusqu'à la publication des résultats.

6. to buy off

Le chef de bande avait acheté l'agent de police du quartier.

7. at the expense of

La blague était bonne mais pas aux dépens de quelqu'un comme ça.

8. to read more into something

Je pense que vous cherchez des complications alors qu'il n'y en a pas.

9. to go all out

Le service du personnel fit tout son possible pour obtenir une augmentation pour les travailleurs.

10. to run through / over

Revoyons les chiffres et vous verrez que l'erreur ne vient pas de moi.

11. to have a hand in

De Gaulle a-t-il été pour quelque chose dans l'élection de Pompidou ?

12. to set up

Il a récemment créé une société en Amérique Latine.

13. to see something through

Si vous vous lancez dans la campagne, vous serez obligé d'aller jusqu'au bout.

14. to write up (a write-up)

La critique de la pièce dans Le Monde était mauvaise.

15. *to be dead set against (≠ on)

Les Américains sont absolument opposés à une augmentation des impôts maintenant.

16. to strike down

Son frère a été abattu pendant son service au Viet-nam.

17. to live something down

Henry a dévalisé une banque et la famille ne surmontera pas cette honte.

18. to take over (a take-over)

Il y a quelque temps, les Généraux ont fait un coup d'État en Grèce.

19. to occur to someone

Il ne m'est jamais venu à l'esprit (cela ne m'a jamais effleuré) qu'il ne comprenait pas ce que je disais.

20. to talk someone out of something

Il me persuada d'abandonner cette idée, qui d'ailleurs n'était pas bonne.

EARLY ADVANCED

1. s'associer avec / se joindre à ...	The French asked the British to go - - - - with them on the project.
2. être rare / se trouver difficilement	Good quality ivory is hard to come - - - -.
3. ne pas être dans le besoin	He isn't wanting - - - - money.
4. saisir / « piger »	Do you get the hang - - - - it?
5. berner qqn / posséder qq'un	He thought he put something - - - - on the company by taking the funds, but they found out.
6. mettre qqn plus bas que terre	She was so angry that she told him off and wiped the floor - - - - him.
7. clarifier la situation / mettre les choses au point	There has been a lot of conflict and if we don't air - - - - the issue, there will be a split in the company.
8. persuader / convaincre qqn	The last argument won him - - - -.
9. assurer de faire qq. chose	Will you please make a point - - - - asking her today?

VERBS AND PREPOSITIONS

1. to go into something with

Les Français demandèrent aux Anglais de s'associer avec eux pour le projet.

2. to be hard to come by

L'ivoire de bonne qualité se trouve difficilement.

3. to be wanting in (money...)

Ce n'est pas l'argent qui lui manque.

4. to get the hang of something

Vous saisissez? Vous « pigez »?

5. to put something over on

Il pensa berner la société en lui prenant les fonds mais il fut finalement découvert.

6. *to wipe the floor with someone

Elle était tellement en colère qu'elle lui a dit ses quatre vérités et l'a mis plus bas que terre.

7. to air out (situation, question...)

Il y a beaucoup de conflits et si nous ne clarifions pas la situation, il y aura scission dans la société.

8. to win someone over

Le dernier argument l'a convaincu.

9. to make a point of

N'oubliez surtout pas de lui demander aujourd'hui.

VOCABULARY - RANGE 5 000 WORDS

	TRANSLATION	SYNONYM	OPPOSITE-ASSOCIATED
1. to sail	–		
2. pool	/ / /		
3. back and forth		–	
4. go ahead			–
5. the leading part		–	– –
6. the whole		–	–
7. located		–	
8. dumb	/ /	/ – – – – / –	

En page verso, pour chaque ligne de vocabulaire, donner autant de mots que de signes ;
c'est-à-dire soit :
– un synonyme
– un mot signifiant le contraire
– la traduction, ou plusieurs, si le terme étudié à différents sens.
Puis tourner la page pour trouver les réponses.

(o = familier)

VOCABULARY - RANGE 5 000 WORDS - KEY

	TRANSLATION	SYNONYM	OPPOSITE-ASSOCIATED
1. to sail	faire de la voile		
2. pool	/ un groupement, / une piscine,/ un jeu (billard)		
3. back and forth	/ va et vient, avance et recule / faire les cent pas (to go - - -)	to and fro	
4. go ahead	allez-y ≠ attendez		wait a minute
5. leading part	vedette ≠ rôle secondaire	star	bit part, minor role, walk on (un bout de rôle)
6. whole		entire	part
7. located		situated	
8. dumb	/ bête, crétin, âne bâté, cloche, gourde, bécasse, corniaud, cornichon, nigaud, bête comme ses pieds, niais, benêt, bêta, bébête / muet	°jerk, fool, dunce (ballot), °dimwit, °nitwit, °dumbell, °goon, °nincompoop, °dope, schlemiel, °lamebrain, °lunkhead, °moron, °goof, °chowderhead, °jughead, °brainless, °simpleton, °dud, °clod (English) / mute	

	TRANSLATION	SYNONYM	OPPOSITE-ASSOCIATED
1. article		–	
2. to borrow			–
3. to swear		– –	
4. according to		–	
5. in this way		–	
6. he noticed		–	
7. a prison		– – –	
8. to stay		–	
9. a suitcase		– – –	
10. to pull			–
11. flop (to be a ..)		– – –	– –
12. a pet	/ /		
13. a robber		– –	
14. famous		–	–
15. to worry		–	
16. astonished		– – – –	

VOCABULARY

	TRANSLATION	SYNONYM	OPPOSITE-ASSOCIATED
1. article		item	
2. to borrow	emprunter ≠ prêter		to lend
3. to swear	jurer	to curse, (cursed = maudit) to vow	
4. according to	suivant, selon	following	
5. in this way	de cette façon	like this	
6. he noticed		he saw, remarked	
7. a prison	prison, tôle, à l'ombre, cabane, cachot	jail, °clink, behind bars, brig(navy), station house = au violon, forced labor camp = le bagne, in solitary = au secret	
8. to stay	rester	to remain	
9. a suitcase		a piece of luggage, a valise, a bag, a grip, a trunk = une malle	
10. to pull	pousser		to push
11. flop (to be a ..)	faire un bide, échec, four, navet, rater un coup ≠ avoir un tube	(to be a) failure, °bust, °lemon, °turkey, no great shakes = pas grand chose	smash, hit, click
12. a pet	/ un animal domestique / un chou-chou		
13. a robber	un voleur	a thief, burglar (cambrioleur), crook (escroc)	
14. famous	connu	noted, well-known, fame = renommée, infamous = infâme	
15. to worry	être inquiet, s'affoler, se faire du mauvais sang	to fret, to be upset	
16. astonished	étonné, sidéré, abasourdi, en rester baba, avoir les bras et les jambes coupés, rester comme deux ronds de flanc, éberlué, époustouflé, renversé, soufflé, tombé des nues	surprised, stunned, floored, astounded, amazed, dazed, dumbfounded, flabbergasted, struck dumb, overwhelmed, startled, spellbound (envoûté)	

	TRANSLATION	SYNONYM	OPPOSITE-ASSOCIATED
1. I'm frightened		– –	
2. strong			–
3. to happen		– –	
4. a bad dream		–	
5. what's the matter?		–	
6. interesting			–
7. winner			–
8. above		– –	– –
9. to spoil	/ /	–	
10. blackmail	–		
11. recently		–	–
12. a tale		–	
13. I'm angry		– – – –	
14. an accident		–	
15. to link		– – –	
16. dry			–
17. forehead, wrist, elbow, shoulder	– – – –		
18. to hurry		–	
19. sour		–	–
20. a wallet	–		

VOCABULARY

	TRANSLATION	SYNONYM	OPPOSITE-ASSOCIATED
1. I'm frightened	j'ai peur, la trouille, je suis effrayé	I'm afraid, scared, to fear = craindre	
2. strong		powerful, mighty	weak
3. to happen		to occur, take place, come about	
4. a bad dream	un cauchemar	a nightmare	
5. what's the matter?	qu'est-ce qu'il a? qu'est-ce qui ne va pas?	what's wrong?, what's up = qu'est-ce qui se passe?	
6. interesting	intéressant ≠ assommant, ennuyeux		boring, dull, to be a drag = être rasant, embêtant comme la pluie
7. winner	gagnant ≠ perdant	champ = champion	loser
8. above		on top, over	below, beneath, under
9. to spoil	/ gâter, choyer qq'un, / pourrir, abîmer	/ to rot, ruin	
10. blackmail	chantage (to blackmail = faire chanter)		
11. recently	récemment ≠ il y a longtemps, ça fait un bail	not long ago, lately	ages ago, a long time ago
12. a tale		a story	
13. I'm angry	je suis fâché, en colère	I am cross, sore, mad, peeved, irked, annoyed	
14. an accident		a mishap	
15. to link	lier, attacher	to fasten, join, connect, attach, bind	
16. dry	sec		wet, damp = humide
17. forehead, wrist, elbow, shoulder	front, poignet, coude, épaule		
18. to hurry	précipiter, se dépêcher	to rush, hasten	
19. sour	acide, amer,	bitter (people & things)	sweet
20. a wallet	un portefeuille		

	TRANSLATION	SYNONYM	OPPOSITE-ASSOCIATED
1. I'm beat		– – – –	
2. a place		– –	
3. safe		–	–
4. it's annoying	–	– –	
5. the outcome		–	
6. gladly		–	
7. I challenge you	–		
8. the edge		– – –	
9. to murder		– –	
10. a will	/ /		
11. to rent		–	
12. in despair		– –	
13. strict		–	
14. to rub		–	
15. docile		–	
16. a trip	/ /	/ – / –	
17. I'm talented		–	
18. an aim		– –	

VOCABULARY

	TRANSLATION	SYNONYM	OPPOSITE-ASSOCIATED
1. I'm beat	je suis fatigué, claqué, sur les genoux, à ramasser à la petite cuillère, raplapla, sur les rotules, à bout	I am exhausted, tired, weary, worn out, °bushed = flappie, °pooped = fourbu, knocked out, on my last legs	
2. a place	un endroit	a spot, site, premises = locaux	
3. safe	sûr, sans danger	secure	dangerous, treacherous
4. it's annoying	c'est embêtant	it's bothersome, it's a pain in the neck = casse-pied	
5. the outcome	le résultat	the upshot, result	
6. gladly	volontiers, de grand cœur	with pleasure	
7. I challenge you	je vous défie de	I dare you	
8. the edge	le bord	the border, rim, brim, brink = berge, ledge = rebord	
9. to murder	tuer, commettre un meurtre	to kill, slay, slaughter (massacrer)	
10. a will	/ un testament, / une volonté (free-will = libre arbitre)		
11. to rent (rent = loyer)	louer	to hire, lease, let	
12. in despair	en désespoir, en désarroi	in dismay, despondent & disheartened = découragé	
13. strict		stern = sévère	
14. to rub	frotter	to wipe = essuyer	
15. docile		meek	
16. a trip	/ un voyage, trajet, / prendre de la drogue	/ a voyage, journey / °to turn on	
17. I'm talented	je suis doué, j'ai le don	I am gifted, I have the knack = j'ai le chic	
18. an aim	un but	a goal, target, purpose	

INTERMEDIATE

	TRANSLATION	SYNONYM	OPPOSITE-ASSOCIATED
1. hard	/ /		/ – / –
2. to ignore			–
3. heaven			–
4. she's blue		– – –	
5. similarity		–	
6. with it (to be...)		– –	– –
7. to bark	–		–
8. a shade of red	–		
9. a forecast		–	
10. part-time			–
11. an old maid		–	
12. depicted		– –	
13. main		– –	
14. pants	–	–	
15. form		–	
16. I'm opposed to		– –	– –
17. shy		– –	–
18. sloppy		–	–
19. plate	/ /	–	
20. to quit	/ /		

VOCABULARY

	TRANSLATION	SYNONYM	OPPOSITE-ASSOCIATED
1. hard	/ dur, / difficile		/ soft, / easy
2. to ignore	ne pas tenir compte ≠ faire attention		heed, pay attention to
3. heaven	paradis ≠ l'enfer		hell
4. she's blue	elle a le cafard, le bourdon	she's sad, low, depressed (déprimée), down, °down in the dumps = elle broye du noir	
5. similarity	ressemblance	likeness	
6. with it	dans le coup, dans le vent, à la page, ≠ démodé, désuet	°hep in, °swings, up to °date = à jour, °hip	square & out of it (pas dans le coup); old-fashioned, obsolete (périmé)
7. to bark	aboyer ≠ miauler	to growl (gronder, grogner)	to meow, (to purr = ronronner)
8. a shade of red	une nuance de rouge	a hue	
9. a forecast	une prévision	a prediction	
10. part-time	mi-temps ≠ temps plein, complet		full-time
11. an old maid	une vieille fille (célibataire = single)	a spinster	
12. depicted	dépeint, décrit	portrayed, described	
13. main		principal, chief, leading	
14. pants	pantalons	slacks, trousers	
15. form		shape, figure	
16. I'm opposed to	je suis contre ≠ pour	against, anti-	for, in favor of
17. shy	timide ≠ audacieux	bashful, withdrawn, timid	bold, outgoing
18. sloppy	désordonné ≠ net	a mess (une pagaille)	
19. plate	/ plat, / assiette	dish	neat, tidy
20. to quit	/ quitter, / démissionner	to cease	

	TRANSLATION	SYNONYM	OPPOSITE-ASSOCIATED
1. to strike	/ /	/ – – – –	
2. to be fortunate	–		– –
3. features		–	
4. a crowd		–	
5. a gun		– – –	
6. we're all set		–	
7. consent		–	
8. speedy		– –	
9. to wed		– –	
10. to permit		– –	
11. a witness	–		
12. temporary		–	–
13. fake		– –	– –
14. sharp (things)		–	–

VOCABULARY

	TRANSLATION	SYNONYM	OPPOSITE-ASSOCIATED
1. to strike	/ faire grève / frapper qq'un	/ to slap, smack = gifler, hit, beat = battre, calotter, °belt, wallop = rosser, a good° belting & a good beating up = une raclée, taloche, a smack = une baffe, a slap = une claque, a wallop = une beigne	
2. to be fortunate	être chanceux, verni, ≠ avoir la guigne, la poisse, pas de bol	to be lucky, °a lucky dog & a lucky stiff = veinard, a lucky chance = avoir du pot, a lucky break = un coup de chance, une aubaine	to have hard luck, to be out of luck, rotten luck = une tuile
3. features		traits	
4. a crowd	une foule	a mob, throng (crowded, mobbed = tassé, bondé)	
5. a gun		a pistol, revolver, °gat, rifle (long), machine-gun = mitrailleuse, (bullet = balle)	
6. we're all set	nous sommes prêts	we are ready	
7. consent	consentement	permission	
8. speedy	vite	swiftly, fast, quickly	
9. to wed	se marier, se mettre un fil à la patte, la corde au cou (un mariage précipité = a shot-gun wedding)	to get married, °hooked, °hitched, °to take the plunge, to tie the knot	
10. to permit		to let, allow	
11. a witness	un témoin (eye witness = témoin oculaire)		
12. temporary		tentative, makeshift, for a while	permanent
13. fake	faux, du toc ≠ authentique	false, phony, sham	real, genuine
14. sharp (things)	aigu, pointu ≠ émoussé	pointed	dull, blunt

INTERMEDIATE

	TRANSLATION	SYNONYM	OPPOSITE-ASSOCIATED
1. comfortable			—
2. good-looking (men)		—	—
3. I'm confused		— —	
4. in a good mood			—
5. limited to		—	
6. busy		— — —	
7. nonsense		— — —	
8. to bite	—		
9. vague		—	— —
10. wrinkled			—
11. promoted		—	—
12. a trick		— — —	
13. a wage		—	
14. novelty	—		
15. to bleed	—		
16. °it's dirt cheap		—	— —
17. dawn		— —	— —

VOCABULARY

	TRANSLATION	SYNONYM	OPPOSITE-ASSOCIATED
1. comfortable	≠ mal à l'aise		uncomfortable, ill at ease
2. good-looking	beau ≠ laid	handsome (men)	ugly (laid), homely (pas beau)
3. I'm confused	je ne comprends pas	I am mixed up, baffled, it beats me = je n'y comprends rien	
4. in a good mood	de bonne humeur		in a bad mood (de mauvais poil), moody = capricieux, sullen
5. limited to		confined to	
6. busy		occupied, hectic, chaotic, on the go = sur la brèche, frantic = bousculé	
7. nonsense	bêtise, balivernes, niaiserie, fadaises, âneries, c'est du vent	°rot, bunco, °malarky, °hogwash, °hooey, °hot air, °baloney, °garbage, °rubbish, °drivel, °fiddlesticks	
8. to bite	mordre		
9. vague	≠ évident, coule de source	obscure	evident, clear, obvious
10. wrinkled	froissé, ridé ≠ ´ lisse	rumpled = chiffonné	smooth
11. promoted	avancé ≠ rétrogradé	upgraded	demoted
12. a trick	une ruse, une supercherie, une chaussetrape	a ruse, trap & snare = traquenard, catch, hoax = canular	
13. a wage	un salaire	a salary, fee = honoraire	
14. novelty	nouveauté		
15. to bleed	saigner (bleed to death = saigner à mort)		
16. °it's dirt cheap	c'est donné, pour des clopinettes, l'avoir pour pas cher	I got it for a song, cheap = bon marché	it cost a mint, cost an arm and a leg, it's expensive, skyhigh
17. dawn	aube, ≠ crépuscule, entre chien et loup = twilight	daybreak, sunrise = le lever du soleil	dusk, nightfall = le coucher du soleil, sunset

	TRANSLATION	SYNONYM	OPPOSITE-ASSOCIATED
1. downtown			—
2. you're mistaken		— —	
3. smart		/ — — — — / —	
4. huge		— —	—
5. a glance		—	
6. an instrument		—	
7. a fellow		— —	— —
8. far-fetched		— —	
9. a kitten, a puppy	— —		
10. a lamb, a colt	— —		
11. a reward		—	
12. a flaw		—	—
13. a backyard		—	
14. previously		—	
15. a block (American)		—	
16. foolishness		— —	
17. to drown	—		
18. one way ticket			— —
19. to repeat		—	

VOCABULARY

	TRANSLATION	SYNONYM	OPPOSITE-ASSOCIATED
1. downtown	centre de ville ≠ quartier résidentiel		uptown
2. you're mistaken	vous avez tort, vous êtes dans l'erreur	you're in error, wrong	
3. smart	/ intelligent, vif / chic	/ intelligent, clever = malin, alert, quick, bright, wise = sage, on the ball, on her toes = vive / well dressed	
4. huge		immense, enormous, vast	tiny
5. a glance	un coup d'œil	a look, peep = coup d'œil furtif	
6. an instrument	un outil	a tool	
7. a fellow	un type, gars, gonz ≠ une fille	a guy, chap (English), °bloke (English), °mug = mec	a gal, °doll, °chick, °dame, °babe = pépée, °broad = nana; gonzesse
8. far-fetched	exagéré, tiré par les cheveux, très recherché	far-out, exaggerated, way-out	
9. a kitten, a puppy	un chaton, un chiot		
10. a lamb, a colt	un agneau, un poulain		
11. a reward	une récompense	a prize = prix	
12. a flaw	un défaut	a shortcoming	a quality
13. a backyard	un jardin, une cour	a garden, a yard	
14. previously		formerly, once upon a time = il était une fois	
15. a block (american)		a street	
16. foolishness	sottise, bêtise	silliness, craziness & madness = la folie	
17. to drown	se noyer (sombrer = to sink)		
18. one way ticket	aller simple		return trip; round trip
19. to repeat	répéter, rabâcher	to reiterate, rehash, to babble = radoter	

	TRANSLATION	SYNONYM	OPPOSITE-ASSOCIATED
1. a canvas, to canvass	— —		
2. to signal		—	
3. doorman, bell-boy	— —		
4. coed (noun & adjective)	/ /		
5. bookkeeping	—		
6. to withdraw		—	
7. a chance		— —	
8. campy		— —	
9. intentionally		—	
10. it's no use		— —	
11. the cellar		—	—
12. °joint (eating)		—	
13. a carpet		—	
14. blank (to be...)		—	
15. a lack of	—	—	
16. a saddle	—		
17. a sin		—	
18. a pillow, a blanket	— —		
19. a masterpiece	—		
20. furnished			—
21. politely			—
22. aloud			—
23. to lower			—

VOCABULARY

	TRANSLATION	SYNONYM	OPPOSITE-ASSOCIATED
1. a canvas; to canvass	une toile, prospecter		
2. to signal		to gesture, wave = saluer, motion	
3. doorman, bellboy	groom (d'un hôtel), portier		
4. coed (noun & adjective)	/ mixte (école) / une jeune fille		
5. bookkeeping	comptabilité	accounting	
6. to withdraw	se retirer	back away	
7. a chance		a break; an opportunity	
8. campy	très original, baroque	arty, bohemian, offbeat, kicky = drôle (things), mod	
9. intentionally	exprès	on purpose	
10. it's no use	en vain	it's in vain, to no avail, useless	
11. the cellar	le sous-sol ≠ le grenier	the basement	the attic
12. °joint (eating)	gargote, bouiboui, bouge, caboulot	°dive	
13. a carpet	un tapis, une moquette	a rug	
14. blank (to be...)	être vide	to be empty, void of	
15. a lack of	un manque de	a shortage of	
16. a saddle	une selle		
17. a sin		a vice	
18. a pillow, a blanket	un oreiller, une couverture		
19. a masterpiece	un chef d'œuvre		
20. furnished	meublé, équipé	equipped	unfurnished
21. politely	poli		rudely, tactlessly
22. aloud	à haute voix ≠ chuchoter		in a whisper
23. to lower	baisser ≠ lever		to raise

	TRANSLATION	SYNONYM	OPPOSITE-ASSOCIATED
1. brave		—	— — —
2. °junk	—	—	
3. spring	/ / /		
4. witch, ghost, to haunt	— — —		—
5. throat	—		
6. a stove		—	
7. stubborn (to be...)		— — — —	
8. to weep		—	
9. the staff		—	
10. a needle	/ /	/ —	
11. I can't stand her		— —	
12. I'm close to her	/ /	/ — —	/ —
13. to increase		—	—

VOCABULARY

	TRANSLATION	SYNONYM	OPPOSITE-ASSOCIATED
1. brave	≠ froussard, lâche, peureux, capon	daring	coward, °chicken, °yellow, °gutless, spineless, to have cold feet, °sissy & °scaredy-cat = trouillard
2. °junk	machin, truc	stuff, it's junk = du toc, de la camelote	
3. spring	/ ressort / source / printemps		
4. witch, ghost, to haunt	sorcière, fantôme, hanter		
5. throat	gorge	(mal à la gorge = to have à sore throat)	
6. a stove	four	oven	
7. stubborn (to be...)	être buté, entêté, cabochard, opiniâtre ≠ être souple	to be... obstinate, hardheaded, °muleheaded, a diehard (un intransigeant), to stand pat, °to refuse to budge, to refuse to give an inch = ne pas en démordre, rester ferme	flexible
8. to weep	pleurer, sangloter	to sob, cry, whine = pleurnicher, bawl = chialer	
9. the staff		the personnel	
10. a needle	/ une aiguille / une piqûre	/ a shot	
11. I can't stand her	je ne peux pas la supporter, la sentir	I can't bear her, put up with her	
12. I'm close to her	/ je suis près d'elle / lié à	I am near, nearby, a stone's throw (à 2 pas)	/ far away, far off
13. to increase	augmenter, élever ≠ baisser, diminuer	to augment, raise	to decrease, dwindle

	TRANSLATION	SYNONYM	OPPOSITE-ASSOCIATED
1. proof		—	
2. a hike	/ /		/ — —
3. noise		—	
4. a nurse	—		
5. a shopkeeper			—
6. device		—	—
7. wild			—
8. straight			— —
9. gently			—
10. grave	/ /		
11. a cough	—		
12. union	—	—	
13. gloomy		— — —	—
14. hearsay	/ /	—	
15. awful		— —	— —
16. well-dressed		—	—
17. sallow		— — —	
18. the stock-exchange	—		
19. cute			

VOCABULARY

	TRANSLATION	SYNONYM	OPPOSITE-ASSOCIATED
1. proof		evidence	
2. a hike	/ une randonnée (à pied) / une hausse ≠ une baisse	a rise	/ a drop, fall, slump
3. noise	bruit, raffut, charivari	rumpus, (boisterous = bruyant)	
4. a nurse	une infirmière		
5. shopkeeper	commerçant	storekeeper	
6. device	appareil	apparatus, gadget	
7. wild	sauvage ≠ apprivoisé		tame
8. straight	droit ≠ tordu, sinueux		crooked, curved, twisted
9. gently	doux ≠ rude		harsh
10. grave	/ tombeau (cimetière = grave-yard) / sérieux		
11. a cough	une toux		
12. union	syndicat	guild	
13. gloomy	maussade, triste, gris lugubre, terne, morne	sad-looking, bleak, drab, dismal, dreary, grim, sullen	cheerful
14. hearsay	potin, commérage, le qu'en-dira-t-on, le ouï-dire	gossip (busybody = cancanier)	
15. awful	affreux ≠ fantastique inouï, du tonnerre	dreadful, crummy = moche frightful = effroyable	marvelous, fabulous, wonderful, fantastic, °out of sight
16. well-dressed		smart, well-groomed	sloppy, slovenly, motley = vêtu de guenilles, little Orphan Annie = habillée comme l'as de pique
17. sallow	blafarde, jaune comme un coing	sullen, drawn, yellow, taut = tiré, wan = blême, hâve	
18. the stock-exchange	la bourse		
19. cute	mignon		

78

	TRANSLATION	SYNONYM	OPPOSITE-ASSOCIATED
1. left-overs	—		
2. to move	/ /		
3. grocery store, hardware store	—		
4. des frites		— —	
5. to retire	—		
6. it's a deal	—		— —
7. a duplicate		—	
8. to react	—		
9. to kid	—	— — —	
10. methods		— —	
11. a relief	—		
12. flat	/ /	/ —	—
13. the waist, the bust, the hips, the chest	— — —		
14. deadly		—	
15. (motion) picture		—	
16. stains		—	
17. the network	—		
18. it's a gamble		— —	
19. to claim	—	—	

VOCABULARY

	TRANSLATION	SYNONYM	OPPOSITE-ASSOCIATED
1. left-overs	(des) restes		
2. to move	/ déménager / bouger (to be moved = être ému)		
3. grocery store, hardware store	épicerie, quincaillerie		
4. des frites		french fries (American) chips (English)	
5. to retire	prendre sa retraite, se retirer		
6. it's a deal	ça biche! c'est entendu ≠ ça ne colle pas, je ne marche pas, ça ne gaze pas		°no dice, no deal, °no soap
7. a duplicate		a copy, double	
8. to react	réagir		
9. to kid (no kidding = sans blague)	plaisanter, faire une blague, faire marcher quelqu'un	to joke, to pull one's leg, to jest, to josh = badiner, to tease = taquiner, in jest = pour rire	
10. methods		ways, means	
11. relief	soulagement		
12. flat	/ plat ≠ escarpé / un appartement	level	steep
13. the waist, the bust, the hips, the chest	la taille, la poitrine, les hanches	breast = sein	
14. deadly		mortal, lethal	
15. (motion) picture		movie, °flick	
16. stains	taches	spots, marks (to stain = tacher)	
17. the network	le réseau		
18. it's a gamble (to gamble = jouer)	c'est un risque	it's a risk, chance (to bet, to wager = parier)	
19. to claim (a claim = une réclamation)	prétendre	to maintain, to contend	

INTERMEDIATE

	TRANSLATION	SYNONYM	OPPOSITE-ASSOCIATED
1. abroad	—	—	
2. slippers, bath-robe	— —		
3. to smell (a smell)	—		
4. a scar	—	—	
5. a schedule	—	—	
6. a row	/ /	/ — — — —	
7. grammar school, high school, college	— — —		
8. to go like clockwork	—	—	—
9. ankle, knee, cheek	— — —		
10. to blush	—		
11. so long	—		
12. I'm ashamed			—
13. awkward (to be...)		—	
14. loose		—	
15. gorgeous		— —	—
16. widow			—
17. rubber, steel, coal, iron	— — — —		

VOCABULARY

	TRANSLATION	SYNONYM	OPPOSITE-ASSOCIATED
1. abroad	à l'étranger	overseas	
2. slippers, bath-robe	pantoufles, robe de chambre		
3. to smell, a smell	sentir, une odeur, parfum	scent = parfum, whiff = bouffée, to sniff = renifler	
4. scar	cicatrice		
5. a schedule	un emploi du temps	a program, time-table	
6. a row	/ une rangée de sièges / une querelle	a quarrel, hassle, scrap, brawl = mêlée, bagarre, falling out & run in = brouille	
7. grammar school, high school, college	école primaire, lycée, université		
8. to go like clockwork	marcher comme sur des roulettes, réglé comme du papier à musique ≠ aller de travers	to work smoothly, to be plain sailing	to backfire = mal partir
9. ankle, knee, cheek	cheville, genou, joue		
10. to blush	rougir	to redden (red in the face, to be as red as a beet = piquer un fard)	
11. so long	salut	bye-bye, good-bye, (see you later = à tout à l'heure)	
12. I'm ashamed	j'ai honte ≠ je suis fier		I'm proud
13. awkward (to be...)	maladroit, lourdaud, pataud, ours mal léché ≠ gracieux	clumsy	graceful
14. loose	trop large ≠ serré	saggy	tight
15. gorgeous	ravissant, très beau ≠ laid	stunning, very attractive, lovely	ugly, homely, (less strong) plain Jane
16. widow	veuf, veuve		widower
17. rubber, steel, coal, iron	caoutchouc, acier, charbon, fer		

INTERMEDIATE

	TRANSLATION	SYNONYM	OPPOSITE-ASSOCIATED
1. deserted		—	
2. casually	/ /		—
3. hills and valleys	—		
4. raw (food)			—
5. a mortgage	—		
6. a set-up	/ /	/ —	
7. to fix		— —	—
8. relatives, in-laws	— —		
9. to whistle	—		
10. to be eager		—	
11. to confess		—	
12. outdoors		—	—
13. a cover	/ /	/ /	
14. to be cracked	/ /	/ /	
15. ripe			—
16. a wheel	—		
17. a cure		—	
18. owner		—	
19. to mutter		—	
20. to trust			—
21. a string		— —	

VOCABULARY

	TRANSLATION	SYNONYM	OPPOSITE-ASSOCIATED
1. deserted		abandoned	
2. casually	/ sport ≠ habillé / sans façon, simple, sans simagrée		formally
3. hills and valleys	collines et vallées		
4. raw (food)	cru ≠ cuit		cooked
5. a mortgage	une hypothèque		
6. a set-up	/ un couvert (restaurant)	/ a situation	
7. to fix	réparer ≠ casser	to repair, mend, fix up = rafistoler	to break
8. relatives, in-laws	des parents, beaux-parents	kin (next of kin = le plus proche parent)	
9. to whistle	siffler		
10. to be eager	j'ai hâte de, être empressé de, être tout feu tout flamme	to be anxious, cannot wait to, to look forward to	
11. to confess		to admit	
12. outdoors	en plein air ≠ à l'intérieur	outside = à l'extérieur	indoors, inside
13. a cover	/ une couverture / un couvercle	/ a blanket / a top, a lid	
14. to be cracked	/ être craqué, être fendu / avoir perdu la boule	/ to be split / to be mad	
15. ripe	mûr ≠ pas mûr		green, over-ripe = blette
16. a wheel	une roue		
17. a cure		a remedy	
18. owner	propriétaire ≠ locataire	proprietor, landlord	tenant
19. to mutter	marmonner	to murmur, mumble (marmotter)	
20. to trust	avoir confiance ≠ se méfier		to distrust, to mistrust
21. a string	ficelle, corde	twine, cord, rope, wire (fil de fer)	

84

INTERMEDIATE

	TRANSLATION	SYNONYM	OPPOSITE-ASSOCIATED
1. I'm due there	—		
2. it's (he's) a money maker	/		
3. provided that		—	
4. a bath		—	
5. a graduate			—
6. wholesale			—
7. odd		/ — — —	/ —
8. to wander		— —	
9. a cup and saucer	—		
10. laundry, cleaners (place)	— —		
11. background	/ /		
12. an alarm-clock	—		
13. to be envious		—	
14. stamp	—		
15. I gather so		—	
16. to be deceived		— —	
17. °uptight		— — — —	
18. °a hang-up	—		
19. alimony	—		

VOCABULARY

	TRANSLATION	SYNONYM	OPPOSITE-ASSOCIATED
1. I'm due there	on m'attend là	I am expected	
2. it's (he's) a money-maker	/ c'est une belle affaire, c'est une vrai homme d'affaires		
3. provided that	pourvu que	on condition that	
4. a bath	une baignoire	a tub	
5. a graduate	un diplômé ≠ étudiant (niveau supérieur)		an undergraduate
6. wholesale	en gros ≠ au détail		retail
7. odd	/ impair / bizarre	/ strange, weird, queer, bizarre, freakish, °funky	/ even
8. to wander	flâner	to roam = errer, to stroll, to meander = se balader, to prowl = rôder	
9. a cup and saucer	une tasse et une soucoupe		
10. laundry, cleaners	blanchisserie, teinturerie		
11. background	/ arrière-plan (tableau) / curriculum vitae		
12. an alarm-clock	un réveil		
13. to be envious		to be jealous	
14. stamp	timbre (affranchissement = postage)		
15. I gather so	je suppose, je crois que oui	I assume so, suppose so	
16. to be deceived	on nous a eus, trompés, être berné, se faire avoir, se payer la tête de quelqu'un	°to be had, to be fooled, to be taken in	
17. °uptight	tendu, les nerfs en boule, en pelote, tracassé	wound-up, tense, on edge, nervous, under strain, overwrought = surmené, under stress	
18. °a hang-up	un complexe	self conscious = complexé	
19. alimony	pension alimentaire		

	TRANSLATION	SYNONYM	OPPOSITE-ASSOCIATED
1. to shave	—		
2. elevator		—	
3. slender		— — —	— — —
4. °a shrink		—	
5. on tip-toe	—		
6. a grown-up		—	— —
7. a bathing suit	—		—
8. the skull	—		
9. upset stomach	—		
10. a chase		—	
11. the daily routine		—	
12. a legal case		—	
13. a routine check-up	/ /		
14. a date		—	
15. to settle	/ /		
16. °guts (to have...)		— — —	
17. a line		/ — / — —	
18. widespread, to spread	— —		

VOCABULARY

	TRANSLATION	SYNONYM	OPPOSITE-ASSOCIATED
1. to shave	se raser		
2. elevator	ascenseur	lift (English)	
3. slender	dégingandé, mince comme un fil de fer, élancé, grande bringue ≠ gros, rond	skinny, scrawny, (maigre) slim, thin (maigre) °beanpole, °toothpick, °broomstick, °rod	fat, obese, plump, heavy, °butterball = boulotte, dodue, a he-man = malabar, stocky, stout = costaud, gaillard
4. °a shrink		°a headshrinker, psychiatrist, (to shrink = rétrécir)	
5. on tip-toe	sur la pointe des pieds		
6. a grown-up		an adult	a youngster, °kid = goss, tot = môme
7. a bathing suit	un maillot de bain		
8. the skull	le crâne		
9. upset stomach	mal à l'estomac		
10. a chase	une chasse, poursuite	a hunt	
11. the daily routine	le train-train quotidien	the daily grind, day in, day out	
12. a legal case	un procès	a suit	
13. a routine check-up	/ une visite médicale / un contrôle de routine		
14. a date (social)	un rendez-vous (un rencard = a heavy date, a rendez-vous)	an appointment	
15. to settle	/ régler / s'installer (to settle down)		
16. °guts (to have...)	avoir du culot, du toupet, de l'aplomb, avoir le front de...	to have nerve, gall, cheek (English), to be brazen = être culoté	
17. a line	/ une discipline, un métier, un domaine / un baratin, un boniment	/ a livelihood field, realm / °spiel, bill of goods, pitch	
18. widespread, to spread	répandu, étendu, étaler, répandre		limited

INTERMEDIATE

	TRANSLATION	SYNONYM	OPPOSITE-ASSOCIATED
1. dwellings		—	
2. a study	/ /		
3. it was worth it	—		
4. it's inconspicuous		—	—
5. a spanking	—		
6. hardboiled (to be...)	/ /	/ — —	/ —
7. a nail	/ /		
8. a heel	/ /	/ —	
9. a drawer, shelf closet	— — —		
10. a. the sidewalk, b. the curb	— —	—	
11. to pass an exam	—		
12. to add			—
13. to shout		— —	
14. a. °buck, b. °dough	— —	—	
15. numb	—		
16. a set of	—		
17. mother-in-law	/ /		
18. to caution		—	
19. to creep		—	

VOCABULARY

	TRANSLATION	SYNONYM	OPPOSITE-ASSOCIATED
1. dwellings	logements, demeures	lodgings, quarters, abode	
2. a study	/ une étude / une bibliothèque (dans la maison)	/ den	
3. it was worth it	cela valait la peine		
4. it's inconspicuous	cela passe inaperçu ≠ se fait remarquer	it is insignificant, unnoticeable	striking, conspicuous
5. a spanking	une fessée		
6. hardboiled (egg) / to be...	/ un œuf dur / être un dur à cuire / être coriace ≠ une poule mouillée	tough, °hard-cookie °a hard-egg, °thick-skinned	softy
7. a nail	/ un clou, / un ongle		
8. a heel	/ un talon / un filou, scélérat	/ a scoundrel, rogue	
9. a drawer, shelf, closet	un tiroir, une étagère, un placard		
10. a. the sidewalk b. the curb	a. le trottoir b. le caniveau	a. the pavement	
11. to pass an exam	réussir un examen (passer un examen = to take...)		
12. to add	ajouter ≠ soustraire		to subtract
13. to shout	crier, brailler, hurler	to scream, yell, holler, roar = mugir, bellow = beugler, a shriek = cri perçant	
14. a. °buck b. °dough	balles fric, pognon, pèse, oseille, galette	a. dollar b. °bread, °cabbage, °moolah, °loot	
15. numb	engourdi		
16. a set of	une série de, un ensemble		
17. / mother-in-law / step-mother	/ belle-mère / autre mère par mariage		/ father-in-law / step-father
18. to caution	avertir, mettre en garde	to warn	
19. to creep	ramper	to crawl	

EARLY ADVANCED

	TRANSLATION	SYNONYM	OPPOSITE-ASSOCIATED
1. a deposit	/ /	/ — / —	/ — / —
2. I never dreamed that	—		
3. lingo		—	
4. in abeyance		— — —	
5. be blunt		— — — —	
6. get it?		—	
7. to browse		—	—
8. a burden	—		
9. to smash		— —	
10. a play boy		— —	— —
11. the core (problem)		—	
12. a decoy		—	
13. a record player		— —	
14. she is dizzy	/ /	/ — —	
15. a dig		— —	

VOCABULARY

	TRANSLATION	SYNONYM	OPPOSITE-ASSOCIATED
1. (to give) a deposit	/ verser des arrhes / déposer de l'argent	/ (to put) cash down (down payment = acompte) (instalment = versement)	/ to pay cash = payer en espèces / a withdrawal = un retrait
2. I never dreamed that	je ne m'en doutais pas, je ne l'avais pas envisagé		
3. lingo	baragouin, jargon	jargon, dialect = patois	
4. in abeyance	en suspens	pending, up in the air, outstanding, unsettled, hanging (non réglé)	
5. be blunt	soyez franc, dites-le moi carrément, ne me ménagez pas, n'y allez pas par 4 chemins	don't mince words, don't pull punches, be frank, say outright, °give it to me straight, °to talk turkey = parler franchement	
6. get it?	pigé?	catch on?	
7. to browse / to browse through	feuilleter, parcourir / survoler	to look through, over	to peruse = lire avec soin
8. a burden	un fardeau		
9. to smash	fracasser, démolir, écraser, écrabouiller	to crash, shatter, wreck (a wreck = une épave)	
10. a play boy	un joyeux luron, fêtard, joyeux drille ≠ pessimiste, un bonnet de nuit	a °high stepper, gay blade °gay liver, happy-go-lucky, happy as a lark	a °gloomy gus, °sourpuss, °sad sack, °long faced
11. the core (problem)	le nœud (d'un problème)	the heart	
12. a decoy	un appât	a bait	
13. a record player	un tourne-disque	a pick-up, turn-table	
14. she is dizzy	/ elle est étourdie, tête de linotte / elle a le vertige	she is flighty, °feather-brained, scatter-brained	
15. a dig	un camouflet, une remarque cinglante, une langue de vipère	a cut, °stab, jab, °knife in the back, she has a sharp tongue, biting words	

	TRANSLATION	SYNONYM	OPPOSITE-ASSOCIATED
1. to be a stepping stone	—	—	
2. to soar		— — — —	— — — —
3. °she's a knockout		— —	
4. °my pad		—	
5. to endorse	— —		
6. token	/ /		
7. to nag		— —	
8. a fad		—	
9. a pet aversion	—		
10. carte de visite	—		— —
11. to be aloof			
12. to gloat	—		
13. to infer		—	
14. a hex		—	
15. an assembly line	—		

VOCABULARY

	TRANSLATION	SYNONYM	OPPOSITE-ASSOCIATED
1. to be a stepping stone	servir de tremplin	to be a jumping off point	
2. to soar	hausser (les prix et les valeurs) ≠ baisse, fléchissement	to jump, surge, shoot up = monter en flèche, hike up, rally, to be brisk = actif, to be a Bull market, to go upward, recovery = relèvement	to sag, slump, lag, drop and fall, to go downward, slack (marasme)
3. °she's a knock-out	c'est une belle pépée, une nana	a °cute, trick, she's really something a °looker, °slick chick °she's got it = elle a du chien	
4. °my pad	chez moi, ma carrée	my °digs	
5. to endorse (a check) to endorse (a candidate)	/ endosser un chèque / soutenir une candidature		
6. token	/ jeton / un geste (cadeau)		
7. to nag	harceler (quelqu'un) bassiner (quelqu'un)	to needle, keep after, ride = talonner, hound (stronger), goad = harceler	
8. it's a fad	c'est dans le vent, à la mode	craze, tendency, trend	
9. a pet aversion	une bête noire		
10. carte de visite, bristol	business card		
11. to be aloof	être hors du coup ne pas être concerné,		to be involved, concerned
12. to gloat	triompher		
13. to infer	vouloir dire, impliquer	to imply	
14. a hex	un anathème, un sort, to hex someone = porter la poisse	a jinx, a spell (to throw a spell on = jeter un sort)	
15. an assembly line	une chaîne de montage		

	TRANSLATION	SYNONYM	OPPOSITE-ASSOCIATED
1. to swindle		– – – – –	
2. the brain trust		–	
3. check bounced	–		
4. a gal Friday		–	
5. an early bird			– –
6. to twirl		– – –	
7. to blackball someone		–	
8. roger!		–	
9. at random	–		
10. thriving		–	– –
11. farsighted (to be...)			–
12. a corpse	–		
13. free-lance		– –	

VOCABULARY

	TRANSLATION	SYNONYM	OPPOSITE-ASSOCIATED
1. to swindle someone	berner quelqu'un, blouser, emberlificoter, embobiner, entortiller, rouler, faire une entourloupette	to cheat = tricher, souffler, °con, °clip, rope in, gyp, °fleece = manger la laine sur le dos de quelqu'un, °hustle, °roll, railroad, °hoodwink, take for a ride = faire marcher, mener en bateau, embezzle = détourner, to be cheated, roped in, = être chocolat, marron, faire choux blanc	
2. the brain trust	le groupe qui constitue le cerveau (affaires)	idea men	
3. check bounced	chèque sans provision		
4. a gal Friday	« une fille à tout faire »	secretary-assistant (typist = dactylographe, stenographer = sténodactylo)	
5. an early bird	un lève-tôt, un couche-tôt, se coucher / se lever avec les poules ≠ un oiseau de nuit, noctambule		a night owl, °a stayer-upper, a night person
6. to twirl	tournoyer, faire tourner rapidement	to spin, to wheel, to whirl, to reel = dévider, to twist = tordre	
7. to blackball someone	mettre sur la liste noire	blacklist	
8. roger!	d'ac! compris!	all right, gotcha!	
9. at random	au hasard		
10. thriving	florissant ≠ chancelant	prosperous, in shipshape	shaky, on the rocks
11. farsighted (to be)	presbyte ≠ myope		nearsighted (blind as a bat : myope comme une taupe)
12. a corpse	un cadavre		
13. free lance	qui travaille pour son propre compte	on his own, to moonlight (sens péjoratif), a stringer = pigiste	

EARLY ADVANCED

	TRANSLATION	SYNONYM	OPPOSITE-ASSOCIATED
1. to bother some-one		− − −	
2. to offset		− −	
3. swollen		−	
4. to mimic		−	
5. °a pot-belly		− −	
6. a knot	−		
7. enchanting		− −	
8. lung	−		
9. conceited		− −	
10. ulterior motive	−		
11. a spokesman		−	
12. clean-cut			−
13. hardworking	−	− −	− −
14. to jilt (someone)		−	
15. justly or not	−		

VOCABULARY

	TRANSLATION	SYNONYM	OPPOSITE-ASSOCIATED
1. to bother someone	embêter quelq., agacer, ennuyer quelqu'un	to pester, annoy, °bug = tarabuster, irk, °he's a pain in the neck = il est casse-pied, empoisonnant, un enquiquineur, un emielleur = a pest	
2. to offset	compenser, contrebalancer	to counterbalance, compensate for, make up for	
3. swollen	enflé	puffed	
4. to mimic	mimer	to mock (sens péjoratif), °to ape	
5. °a pot-belly (to have)	avoir de la bedaine, du ventre	to have a °beer-belly, middle-aged spread	
6. a knot	un nœud		
7. enchanting	charmant	charming, captivating	
8. lung	poumon		
9. conceited	suffisant, fat	egotistical, vain, selfish (egoist), self-centered, °cocky = sûr de lui, he thinks he's God's gift = il croit être sorti de la cuisse de Jupiter	
10. ulterior motive	arrière-pensée		
11. a spokesman	un porte-parole	°mouthpiece (also is slang for lawyer)	
12. clean-cut	ingénu d'apparence, sainte nitouche ≠ un air de bandit, de sale type		tough-looking rough-looking
13. hardworking	travailleur acharné ≠ fainéant, tire-au-flanc	to knock oneself out = se tuer à... °to work like a dog °to sweat it = boulonner, cravacher, bosser	lazy, idle = oisif, °to goof off = ne rien foutre
14. to jilt (someone)	plaquer	to drop = planter là, °to ditch = virer, larguer	
15. justly or not	à tort ou à raison		

EARLY ADVANCED

	TRANSLATION	SYNONYM	OPPOSITE-ASSOCIATED
1. cost price	—	—	—
2. grass roots (politics)	—		—
3. I apologize		—	
4. °a mobster		— —	
5. a setback			—
6. amid		—	
7. in kind	/		
8. assets			—
9. the dead-line		—	
10. bulls eye (to hit...)		— — —	— —
11. he's a hick		— — —	
12. an outlet (business)		—	
13. the goods		— —	
14. to cling		—	
15. a misprint	—		

VOCABULARY

	TRANSLATION	SYNONYM	OPPOSITE-ASSOCIATED
1. cost price	prix de revient	going price (price freezing = blocage des prix)	selling price = prix de vente
2. grass roots (politics)	à l'échelon local ≠ au niveau gouvernemental		governmental, national, federal
3. I apologize	je vous fais mes excuses	I'm sorry (navré)	
4. °a mobster	un gangster	a gangster, °hood, thug, racketeer, °hoodlums (pègre), °gunmoll (pour une femme), small time mobster = une petite frappe	
5. a setback	un pas en arrière, un revers		a step forward
6. amid	/ parmi / en plein	in the middle of	
7. in kind	en nature		
8. assets	valeurs, actifs ≠ passifs		liabilities
9. the dead-line	le dernier délai	due date	
10. bulls eye (to hit the...)	faire mouche, tomber pile ≠ manquer son but mettre en dehors de la plaque	°on the nose, on the head, hit the nail on the head (taper dans le mille), hit home & hit the sore spot (toucher le point sensible)	off-target, way-off, you are off-base (vous n'y êtes pas du tout)
11. he's a hick	il vient de la cambrousse, il vient d'un trou, c'est un péquenot, c'est un cul-terreux	he is °from the sticks, from Podunk, from the backwoods, he is a °yokel, country-boy, hill billy	
12. an outlet (business)	un débouché	a market	
13. the goods	marchandises	merchandise, °stuff wares	
14. to cling	s'accrocher	to clutch, latch on to (se cramponner)	
15. a misprint	une coquille, une faute de frappe		

EARLY ADVANCED

	TRANSLATION	SYNONYM	OPPOSITE-ASSOCIATED
1. he's doomed		— —	
2. to fib		— —	—
3. rags	—		
4. bland		—	—
5. mischievous (to be)		— —	/
6. a puppet		/ — / —	
7. I'm starving		—	
8. to hire someone		—	— — — —
9. a bribe		— — —	
10. the overhead	—	—	
11. strictly business			— —
12. a relapse		—	
13. to hand-pick	—	—	
14. it's not fair		—	

VOCABULARY

	TRANSLATION	SYNONYM	OPPOSITE-ASSOCIATED
1. he's doomed	il est cuit ç'en est fait de lui, son compte est bon	°his number's up, °he's done for, °his goose is cooked	
2. to fib	mentir, avoir le nez qui remue	to lie, °spin a yarn = raconter des bobards, a white lie = un pieux mensonge to tell tales (tall stories = histoires marseillaises)	
3. rags	haillons, guenilles, en loques = in rags		
4. bland	fade (nourriture)	mild	spicy (pimenté)
5. mischievous (to be)	(être) malicieux (enfants) polisson, coquin espiègle, vilain	(to be) naughty, a rascal, °a brat = un petit monstre	
6. a puppet	/ une marionnette / un gouvernement fantoche	/ a marionnette / a figure-head = un prête-nom	
7. I'm starving	je meurs de faim	I'm dying of hunger	I'm full, °stuffed (je cale)
8. to hire someone	nommer, embaucher, engager ≠ congédier, renvoyer, mettre à la porte, saquer, balancer quelqu'un	to take on, to recruit, to appoint	to fire, lay off, °sack, °bounce, °give the axe, °can, °give the boot, °give the gate
9. a bribe	un pot de vin, dessous de table, ristourne illicite, soudoyer = to bribe	a kickback, a rake-off, to pay off someone	
10. the overhead	les frais généraux	the ''frais de maintien'' = upkeep, overall costs	
11. strictly business	très sérieux ≠ du bidon		fun and games, °monkey business = chahut, °horseplay
12. a relapse	une rechute, une récidive	a recurrence	
13. to hand-pick	trier sur le volet	to select, to pick out	
14. it's not fair	ce n'est pas juste, ce n'est pas correct	unjust	fair

EARLY ADVANCED

	TRANSLATION	SYNONYM	OPPOSITE-ASSOCIATED
1. narrow-minded (to be)		—	—
2. a respite		— —	
3. for her sake	—		
4. curt (to be)		—	
5. stagefright	—		
6. the ringleader	—		
7. °a con artist		— — — —	
8. shabby		—	—
9. to boast		— — — —	
10. last name			—
11. to stumble		— — —	
12. a pun		—	
13. to snub		—	
14. ...led me astray		—	
15. a long shot			— —

VOCABULARY

	TRANSLATION	SYNONYM	OPPOSITE-ASSOCIATED
1. narrow-minded, (to be...)	être borné, avoir des œillères ≠ être large d'esprit	to be bigoted	to be open-minded
2. a respite	une pause	a break (coffee, etc.) time out, breathing spell	
3. for her sake	pour son bien		
4. curt (to be)	être brusque, être sec	to be short, to be abrupt	
5. stagefright	trac		
6. the ringleader	le meneur		
7. °a con artist	un vaurien, filou, roublard, escroc, chevalier d'industrie, truand, une canaille	°a wheeler-dealer = brasseur d'affaires, °shrewdie, °shyster, °slicker, °shady character, °chiseler, swindler, embezzler (stronger)	
8. shabby	en mauvais état, usé, râpé	run down, shoddy	in good state, well kept, cared for
9. to boast	se vanter, se pavaner	to brag (a boast, °a brag = un fanfaron) to talk big (se prendre pour le bon Dieu), to put on airs (faire étalage, de l'épate) to have a swelled head = avoir la grosse tête	
10. last name	nom de famille		first name (prénom) maiden name (nom de jeune fille)
11. to stumble	trébucher, chanceler, vaciller, tituber	to trip, wobble, totter (with fall : to stagger, slip, tumble)	
12. a pun	un calembour	a play-on-words	
13. to snub	snober, dédaigner	to look down one's nose on	
14. ...led me astray	... m'a égaré	...misled	
15. a long shot	une chance sur mille, une gageure		a sporting chance, even odds, a sure thing = dans le sac

EARLY ADVANCED

	TRANSLATION	SYNONYM	OPPOSITE-ASSOCIATED
1. to split	/ / / °/	/ — / — — — / — / —	
2. slapstick		— —	
3. an opening	/		
4. entertaining		—	
5. soaked		—	
6. the M.C.		—	
7. couples			— —
8. a truce	—		
9. the underworld	—		
10. grudgingly			—
11. a wallflower	—		—
12. a supplier	—		—
13. °to rap		— —	
14. a gimmick	—		
15. my Lord!		— — —	
16. he's a ham	/ /		

VOCABULARY

	TRANSLATION	SYNONYM	OPPOSITE-ASSOCIATED
1. to split	/ divorcer, / partager, / fendre, / se sauver, filer	/ to separate / to share / to crack / to take off (mettre les voiles) °to hit the road = se tailler, prendre le large, °to get the show on the road (mettre les bouts, démarrer)	
2. slapstick	tarte à la crème	farcical, corny (trite or overly sentimental)	
3. an opening (theatre)	une première (théâtre)		
4. entertaining	distrayant	amusing	
5. soaked	trempé jusqu'aux os	doused, wet through and through, drenched	
6. the M.C.	l'animateur	the emcee, master of ceremonies	
7. couples	couples ≠ célibataires		°stags, singles
8. a truce	une trêve	a lull = une accalmie	
9. the underworld	« le milieu »		
10. grudgingly	à contre-cœur	unwillingly (contre son gré)	willingly (de plein gré)
11. a wallflower	quelqu'un qui fait tapisserie		the life of the party = le bout en train
12. a supplier	un fournisseur		buyer
13. °to rap	causer, bavarder	to shoot the breeze, to talk, pass the time of day = papoter, °to chew the fat. = jacter	
14. a gimmick	un truc, une astuce		
15. my Lord!	sacrebleu! bon sang! mon Dieu! Ciel!	°man! °you ain't kidding, my goodness! °Holy cow! °good grief! °Christ! °Holy Moses! °Gosh! °Gee-whiz! my Heavens!	
16. he's a ham	/ c'est un cabotin (mauvais acteur) / c'est un radio amateur	amateur radio operator	

	TRANSLATION	SYNONYM	OPPOSITE-ASSOCIATED
1. scarce (to be)			– –
2. a loudspeaker	–		
3. it's misty		– –	
4. mankind		–	
5. to faint		–	
6. °a junkie		–	–
7. a shareholder	–		
8. a freshman			–
9. sly		– – –	
10. she's kidding herself		–	
11. an ordeal	–		
12. °hot seat		–	
13. the pace		–	
14. a hunk		–	
15. to procrastinate		– –	
16. to have rave notices		–	–
17. the output		–	
18. to induce		–	
19. to collapse		– –	
20. you'll never guess	–		

VOCABULARY

	TRANSLATION	SYNONYM	OPPOSITE-ASSOCIATED
1. scarce (to be)	être rare,	money is tight = l'argent ne circule pas	plentiful, abondant, a dime a dozen = 13 à la douzaine
2. a loudspeaker	un haut- parleur		
3. it's misty	c'est brumeux, il y a du brouillard	it's hazy, foggy	
4. mankind	humanité	humanity	
5. to faint	s'évanouir	to be out cold = être dans les pommes, to black out, to swoon, to pass out = mourir	
6. °a junkie	un trafiquant de drogue	a pusher	
7. a shareholder	un actionnaire		
8. a freshman	être inscrit en première année d'école		senior, upper classman (3rd or 4th year)
9. sly	malin comme un singe, fin renard, fine mouche, futé, sournois, retors	cunning, artful, underhanded, cagey, dodgy	
10. she's kidding herself	elle se fait des illusions	she's fooling herself	
11. an ordeal	une épreuve		
12. °hot seat	chaise (électrique), gril	electric chair	
13. the pace	la cadence	the rate	
14. a hunk	un gros morceau	a chunk, a lump	
15. to procrastinate	remettre les choses à demain, atermoyer	to put off, to stall = gagner du temps, to gain time	
16. to have rave notices	avoir un succès incontesté, avoir des critiques enthousiastes	to have good reviews	to be panned
17. the output	le rendement	the production	
18. to induce	faire miroiter	to tempt, to coax = amadouer, an inducement = a temptation	
19. to collapse	s'effondrer	to crumble, to cave in	
20. you'll never guess	je vous le donne en mille		

	TRANSLATION	SYNONYM	OPPOSITE-ASSOCIATED
1. to yawn	—		
2. an outline		— —	
3. slums		— — — —	
4. a rainbow	—		
5. °not very kosher	—	—	— —
6. to reckon		—	
7. reliable (to be)		— —	
8. shrimp, lobster	— —		
9. °booze		— —	
10. D.A.		—	
11. argumentative		—	
12. a gift		—	
13. the frame of reference		—	
14. to kowtow		—	
15. a gap		—	
16. ahead (to be)			—
17. a clue		— —	

VOCABULARY

	TRANSLATION	SYNONYM	OPPOSITE-ASSOCIATED
1. to yawn	bâiller		
2. an outline	une esquisse, grandes lignes	a sketch, brief = topo	
3. slums	taudis, baraque, bidonville, case, bicoque, cahute	°dumps, shacks, shed, tenements, hovel, °hole, huts, skid row = basfonds	
4. a rainbow	un arc-en-ciel		
5. °not very kosher	pas très catholique, du fricotage ≠ sans équivoque, en tout bien tout honneur	°monkey business	on the level, on the up and up, above board, no strings attached = sans restrictions
6. to reckon	escompter	to figure, estimate	
7. reliable (to be)	être digne de confiance	to be dependable, trustworthy	
8. shrimp, lobster	crevette, homard		
9. °booze	gros rouge, pinard	°shnapps, the bottle, liquor (American for alcohol)	
10. D.A.	Procureur	District Attorney	
11. argumentative	raisonneur	quarrelsome, to pick an argument = chercher chicane à q.q.	
12. a gift	un cadeau	a present	
13. the frame of reference	le point de repère, le cadre de référence	the basis for viewpoint	
14. to kowtow	être à plat ventre, faire des courbettes, lécher les bottes	to cater to = être attentionné, to butter up = passer de la pommade	
15. a gap	un fossé, un gouffre, une brèche	a space, gulf, rift = fissure	
16. ahead (to be)	prendre de l'avance ≠ avoir du retard		behind
17. a clue	un tuyau, un indice	a tip, lead, hint = insinuation, a hunch = une intuition, une idée °a bum steer = un mauvais tuyau, un tuyau crevé	

	TRANSLATION	SYNONYM	OPPOSITE-ASSOCIATED
1. °it's swinging		– –	
2. greedy, petty	– –		
3. to lobby	–		
4. copyright	–		
5. a foe		–	–
6. frail (to be)		– –	–
7. to hock		–	
8. to heal	–		
9. an inn		–	
10. to hinder		– – – –	
11. to steal		– – – –	
12. veal, lamb	– –		
13. the impact		–	
14. to forbid		– – –	
15. a suburbanite			–
16. leisure		–	
17. a subscription	–		

VOCABULARY

	TRANSLATION	SYNONYM	OPPOSITE-ASSOCIATED
1. °it's swinging	cela s'anime, cela bat son plein	°jumping, °there's action, °moving	
2. greedy, petty	avide, mesquin	to hoard = amasser, sparing = chiche	
3. to lobby	faire antichambre		
4. copyright	propriété littéraire	rights = droits	
5. a foe	un adversaire, un ennemi	an enemy, a fiend (démon)	an ally
6. frail (to be)	(être) frêle, fragile ≠ solide, vigoureux	(to be) fragile, flimsy (things), dainty = délicat	(to be) sturdy
7. to hock	mettre au clou, au Mont-de-Piété	to pawn (pawnbroker = prêteur sur gages)	
8. to heal	cicatriser, guérir		
9. an inn	une auberge	a motel, a guest-house	
10. to hinder	ralentir, empêcher, entraver, contrecarrer, se mettre en travers	to impede, thwart, hamper, foil = déjouer, curtail, obstruct, restrict = restreindre, curb = freiner	
11. to steal	voler, chaparder, carotter, dévaliser	to rob, break-in = cambrioler, stick-up, hold-up, make off with = chiper, swipe = faucher, pinch = barboter, lift = piquer, shop-lift = vol à la tire, loot = piller, the loot = le butin	
12. veal, lamb	veau, mouton (et agneau)		
13. the impact	l'effet	the effect	
14. to forbid	interdire	to bar, veto, ban, censor = censurer	
15. a suburbanite	un banlieusard ≠ un citadin		city dweller
16. leisure	loisirs	time free, time off	
17. a subscription	un abonnement, to subscribe to = s'abonner à		

112

EARLY ADVANCED

	TRANSLATION	SYNONYM	OPPOSITE-ASSOCIATED
1. mass-produced		—	— —
2. °a queer duck		— —	
3. to misquote	—		
4. bare (to be)		— —	
5. purchase		— —	—
6. to reap	—		
7. to loath		— — — —	— — — —
8. Ivy League Schools	—		
9. congratulations	—		
10. a brainwashing	—		
11. broken English		—	
12. a cast	/ /		
13. offhand	/ /		
14. to compete		—	
15. to clap		—	
16. a sucker		—	
17. a killjoy		—	
18. a padded bill		—	

VOCABULARY

	TRANSLATION	SYNONYM	OPPOSITE-ASSOCIATED
1. mass produced	à la chaîne, en série ≠ à la pièce	in bulk = en vrac	hand-made, piecework, piecemeal
2. °a queer duck	un drôle d'oiseau, de type, de numéro, de lascar	°an odd-ball, °odd-fish °odd-customer	
3. to misquote	mal citer		
4. bare (to be)	(être) nu, nu comme un ver	(to be) naked, nude, °stark-naked, °in one's birthday suit = en tenue d'Adam	
5. purchase	achat		sale
6. to reap	cueillir récolter	to harvest, benefit, yield = rendre	
7. to loath	détester, haïr ≠ raffoler de, s'emballer pour, fou de, toqué de	to despise, hate, hold in comtempt (mépriser) deplore, °hate guts of, abhor, to scorn	wild about, °nuts about, °crazy about, keen on, mad about, °flipped over = enticher de, *gung ho on
8. Ivy League Schools	les Grandes Écoles (Yale, Harvard, MIT, etc.)		
9. congratulations	félicitations		
10. a brainwashing	un lavage de cerveau		
11. broken English	petit nègre	pidgin English	
12. a cast	/ un plâtre / une distribution (pièce)		
13. offhand	/ sans gêne, d'une manière désinvolte / sans savoir vraiment		
14. to compete	faire concurrence	to vie with	
15. to clap	applaudir	applaud	to boo (huer)
16. a sucker	une bonne poire, le dindon de la farce, il gobe n'importe quoi	°a chump, to be gullible = être crédule	
17. a killjoy	un trouble-fête	°a party pooper, a wet blanket = rabat-joie, bonnet de nuit	
18. a padded bill	un compte d'apothicaire	fixed up bill	

EARLY ADVANCED

	TRANSLATION	SYNONYM	OPPOSITE-ASSOCIATED
1. a hitch		– – –	
2. corrupted (to be)		–	–
3. a deadlock		– – –	–
4. $ 10 short	–		
5. a hole	–		
6. to criticize		– –	–
7. the bathroom		– – –	
8. a lone wolf		–	
9. °I dig it!		– – –	– – –
10. level headed (to be)		– –	–
11. measles, small-pox	– –		
12. real estate	–	–	
13. a rough estimate	–		
14. °to nab		– –	
15. a warehouse		–	

VOCABULARY

	TRANSLATION	SYNONYM	OPPOSITE-ASSOCIATED
1. a hitch	une anicroche, un accroc, de l'eau dans le gaz	a snag, a rub, a pitfall °fly in the ointment	
2. corrupted (to be)	ne pas être honnête	to be crooked = être véreux, dishonest	to be honest, upright
3. a deadlock	une impasse, un point mort	a stalemate, no headway, a standstill, a halt, a dead-end = un cul-de-sac	a breakthrough = une ouverture
4. $ 10 short	il me manque $ 10		
5. a hole	un trou		
6. to criticize	critiquer, dénigrer ≠ louer	to find fault with, °to knock, to put down = remettre à sa place	to praise
7. the bathroom	les toilettes, le petit coin, les W.-C.	toilet (not to say) the little boys' (girl's) room, °the john, the washroom, the ladies (mens) room	
8. a lone wolf	il fait bande à part	loner	
9. °I dig it!	ça c'est pour moi! chic alors! c'est mon genre, ça m'emballe, ça me botte	°it turns me on, °it's my thing, my bag, °it's my cup of tea °, go in for it in a big way	°it turns me off, = cela me refroidit, to be put off, to be repulsed = rebuter, répugner, to be repelled (repousser) °to be cool on = ce n'est pas mon genre
10. level headed (to be)	(être) un homme de bon sens, réfléchi	(to be) °cool, clear thinking, clear-headed = avisé	(to be) rash, on the spur of the moment = un coup de tête
11. measles, small-pox	rougeole, variole		
12. real estate	propriété immobilière	land = terrain	
13. a rough estimate	une estimation, un devis	une approximation	
14. °to nab	prendre, pincer, mettre la main dessus, mettre le grappin dessus, piquer, agrafer	°catch, °pinch, °bust, pull in	
15. a warehouse	un entrepôt	a storehouse	

	TRANSLATION	SYNONYM	OPPOSITE-ASSOCIATED
1. to grumble		− − −	
2. a smart-aleck		−	
3. a blue collar worker			−
4. savings bank	−		
5. gaudy		− −	−
6. bald	−		
7. the management		−	
8. an auction sale	−		
9. to bid	−		
10. to rape	−		
11. to be convicted	−	−	− −
12. good omen	−		
13. to tease		− −	
14. a surgeon	−		
15. °a big shot		− −	− − −

VOCABULARY

	TRANSLATION	SYNONYM	OPPOSITE-ASSOCIATED
1. to grumble	grommeler, se plaindre, ronchonner, râler, rouspéter	to complain, ° beef, °gripe, °crab, °belly-ache, balk (to brood = faire la moue, bouder)	
2. a smart-aleck	M.-Je-Sais-Tout, un petit malin / un type acerbe	a wise-guy, °smarty pants (a wise-crack = une vanne, une vacherie)	
3. a blue collar worker	un travailleur manuel	a manual worker	white collar worker = employé (cadre = executive)
4. savings bank	caisse d'épargne (checking account = compte en banque)		
5. gaudy	voyant, criard	showy, splashy, loud	tailored, subdued
6. bald	chauve (baldness = calvitie)		
7. the management	la direction, le conseil d'administration	the board of directors	
8. an auction sale	une vente aux enchères, au plus offrant = to the highest bidder		
9. to bid	faire une offre		
10. to rape	violer		
11. to be convicted	être condamné	to be sentenced = juger to be held = être gardé à vue	to be let off = être relâché, to be acquitted, to be cleared
12. good omen	bon augure		bad omen
13. to tease	taquiner, chiner	to needle, to rib, = asticoter, to taunt (stronger)	
14. a surgeon	un chirurgien		
15. °a big shot	un caïd, un grand manitou, une grosse huile, une grosse tête, une grosse légume, un gros bonnet ≠ un minus, un minable, un sous-fifre, la 5e roue du carosse	a V.I.P., °big-wheel, °brass, °noise, °big-wig, °top banana, °kingfish, °kingpin, °big cheese, big boss	to cut no ice, °to be small fry, to play 2nd fiddle, to take the back seat

EARLY ADVANCED

	TRANSLATION	SYNONYM	OPPOSITE-ASSOCIATED
1. a trifle	—		
2. an affair	/ /		
3. how's that?	—		
4. stingy (to be...)		— — —	— —
5. she's pregnant		—	
6. °chow		— —	
7. the trademark		—	
8. an ad man	—		
9. a bite	/ /		
10. a buddy		—	
11. a blunder		— —	
12. you 'll rue it		—	
13. New Year's Eve	—		
14. a write-up	—	—	
15. a shift (work)	/ /	/ —	

VOCABULARY

	TRANSLATION	SYNONYM	OPPOSITE-ASSOCIATED
1. a trifle	une vétille, une bagatelle, une chose anodine	a detail	
2. an affair	une aventure / une grande soirée/ un grand scandale		
3. how's that?	comment? quoi?	what do you mean? = qu'est-ce que vous entendez par cela?	
4. to be stingy	être radin, être dur à la détente, être pingre, rapiat, être près de ses sous ≠ faire valser l'anse du panier, l'argent lui coule entre les doigts	cheap,°skinflint,°cheapskate, tight, °penny pincher, °tight wad, miserly, thrifty = économe, to cut corners = faire des économies	spendthrift, easy spender, squanderer, to waste (gaspiller)
5. she's pregnant	elle est enceinte	expecting, she's with child (old English)	
6. °chow	popote, mangeaille, bouffe, tambouille, béquetance, boustifaille	°grub, eats, °feed, food = nourriture	
7. the trademark	la marque de fabrique	the brandmark	
8. an ad man	un agent de publicité (an ad = an announce)		
9. a bite	un casse-croûte/ une morsure	a nibble (to nibble = grignoter)	
10. a buddy	un copain	pal, chum, bosom pals = copain, copain sidekick = acolyte	
11. a blunder	une gaffe, un pas de clerc, une bévue	boner, °blooper, °booboo = boulette	
12. you'll rue it	vous le regretterez, vous vous en mordrez les doigts	you 'll regret it	
13. New Year's Eve	Réveillon du Jour de l'An		
14. a write-up	une critique	a review	
15. a shift (work)	une équipe (par ex. dans une usine)/ un changement	a crew	

IDIOMS - MAKE AND DO

1. faire un travail	Will this work be - - - - by the end of the month?
2. se contenter de	Can you make - - - - with only one bottle for the time being?
3. faire une erreur	How did they - - - - that mistake?
4. faire fortune, son beurre	How did that family - - - - it's fortune?
5. faire un effort	Please - - - - an effort to get through this work in time.
6. faire des remarques	Who - - - - that last remark?
7. faire de son mieux	I know it isn't what you wanted, but please - - - - your best to make do with it.
8. gagner de l'argent	How did Jack - - - - so much money in five years?
9. danser	Do you - - - - the jerk?
10. faire faire qq.chose par qq'un	Will you please - - - - them do the work again.
11. se faire coiffer	I love the way she has her hair - - - -.
12. rendre un service	Can you please - - - - me a favor for tomorrow?
13. prendre rendez-vous	I would like to - - - - an appointment with Mr. Smith please.
14. tenir, faire des comptes	Who - - - - the books for your company?
15. se moquer de	Sue was - - - - fun of the child who stuttered.
16. faire des histoires	Why are you - - - - such a fuss? We can clean it all up quickly.
17. cela ne se fait pas	Eating cheese with the main dish isn't - - - - in France.

a) compléter
b) plier le tiers de la page pour trouver la réponse
c) puis tourner la page pour obtenir la traduction complète

IDIOMS - MAKE AND DO - KEY

1. to do work	Est-ce que ce travail sera fait d'ici la fin du mois?
2. to make do with	Pouvez-vous vous contenter d'une seule bouteille pour le moment?
3. to make a mistake	Comment ont-ils fait cette erreur?
4. to make a fortune	Comment cette famille a-t-elle fait fortune?
5. to make an effort	Veuillez faire un effort pour achever ce travail à temps.
6. to make a remark	Qui a fait cette dernière remarque?
7. to do one's best	Je sais que ce n'est pas ce que vous voulez, mais arrangez-vous pour vous en contenter.
8. to make money	Comment Jack a-t-il fait pour gagner tant d'argent en cinq ans?
9. to do a dance	Dansez-vous le « jerk »?
10. to make somebody do something	Veuillez leur faire refaire le travail.
11. to have one's hair done	J'aime la façon dont elle se fait coiffer.
12. to do a favor	Pouvez-vous me rendre un service pour demain?
13. to make an appointment	Je désirerais prendre rendez-vous avec M. Smith s.v.p.
14. to do the books	Qui tient les comptes de votre société?
15. to make fun of	Sue se moquait de l'enfant qui bégayait.
16. to make a fuss	Pourquoi faites-vous tant d'histoires, nous pouvons vite tout nettoyer.
17. not to be done (it isn't)	En France, on ne mange pas le fromage avec le plat principal.

MAKE AND DO

1. que puis-je faire pour vous? / est-ce que je peux vous aider?

What can I - - - - for you, please?

2. faire (fabriquer)

For years he has - - - - kids' clothes.

3. que fait-il dans la vie?

What does your brother - - - - for a living?

4. faire du bruit

How much noise that machine - - - - !

5. faire des affaires

When did you begin to - - - - business with the Americans?

6. faire son beurre faire sa pelote

He - - - - a killing (or : a bundle) in the Stock-market.

7. rendre

He - - - - me very sad each time he begins talking about the past.

8. faire des courses

Do you have to - - - - the shopping this afternoon or can it wait?

9. se passer de

You will have to - - - - without light for a few minutes.

10. faites comme chez vous

- - - - yourself at home. The house is yours.

11. donner du travail

Kids constantly - - - - work for their parents when playing.

12. faire des dégâts, du mal

The storm - - - - a lot of harm to the little village.

13. vérifier, s'assurer

I want you to - - - - sure that this time the work is correct.

14. faire des blagues / plaisanter

He could not stop - - - - jokes for an hour.

15. faire qq.chose

If you don't - - - - what I say you will never learn correctly.

16. mettre la pagaille

Just look at the mess you've - - - - here.

17. faire sur mesures

Do you - - - - suits to measure, please?

18. est-ce que samedi cela irait?

Will Saturday - - - - ?

19. il faut se plier aux coutumes

When in Rome - - - - as the Romans - - - -.

20. faire une suggestion

Can I please - - - - a suggestion?

21. faire une gaffe

He - - - - a blunder by asking her about her ex-husband.

22. faire une traduction

Can you please - - - - this translation for me?

23. se rendre ridicule

He - - - - a fool of himself at the party.

IDIOMS

1. to do something for someone	Que puis-je faire pour vous s.v.p.?
2. to make (manufacture)	Depuis des années, il fabrique des vêtements d'enfants.
3. to do something for a living	Que fait votre frère dans la vie?
4. to make noise	Comme cette machine fait du bruit!
5. to do business	Quand avez-vous commencé à faire des affaires avec les Américains?
6. to make a killing (a bundle)	Il a fait sa pelote à la bourse.
7. to make	Il me rend très malheureux chaque fois qu'il commence à parler du passé.
8. to do shopping	Devez-vous faire les courses cet après-midi ou cela peut-il attendre?
9. to do without	Vous devrez vous passer de lumière pendant quelques minutes.
10. make yourself at home	Faites comme chez vous. La maison est à vous.
11. to make work for...	Les enfants donnent constamment du travail à leurs parents quand ils jouent.
12. to do harm	L'orage a fait beaucoup de dégâts dans le petit village.
13. make sure	Je voudrais que vous vérifiiez que cette fois le travail est correct.
14. to make jokes	Il n'a pu s'empêcher de faire des blagues pendant une heure.
15. to do something	Si vous ne faites pas comme je vous dis, vous n'apprendrez jamais correctement.
16. to make a mess	Regardez donc la pagaille que vous avez mise ici.
17. to make to measure	Faites-vous des costumes sur mesures?
18. will... do?	Est-ce que samedi cela irait?
19. when in Rome do as the Romans do (dicton)	Il faut se plier aux coutumes du pays où l'on se trouve.
20. to make a suggestion	Puis-je faire une suggestion?
21. to make a blunder	Il a fait une gaffe en lui demandant des nouvelles de son ex-mari.
22. to do a translation	Pouvez-vous me faire cette traduction s.v.p.?
23. to make a fool of one's self	Il s'est rendu ridicule pendant la réception.

MAKE AND DO

1. cela suffit

Stop it. That'll - - - -.

2. faire les exercices

I have - - - - that exercise already.

3. faire cuire / préparer à manger, boire, etc.

This evening she's going to - - - - a chicken but now please - - - - me a cup of tea.

4. que font-ils le...? avoir l'intention de faire

What are they - - - - this weekend?

5. faites ce que je dis, pas ce que je fais

- - - - as I say but not as I - - - -.

6. faire (tourner) un film

Where are they going to - - - - the film?

7. faire du bien

That kind of exercise will - - - - you good.

8. trouver le temps

Please - - - - time to have it finished before Thursday.

9. faire (ferait)

She would - - - - a better wife than a career girl.

10. faire quelque chose

What can we - - - - about it?

11. faire une révision

Next week we'll - - - - a review of all the verbs.

12. faire l'affaire

Take two now; that will - - - - the trick.

13. comprendre

Can you - - - - out what this letter means?

14. faire un voyage

Will you - - - - a trip next year?

15. faire des progrès

We have been - - - - a lot of progress for the last month.

16. tirer le meilleur parti de / arranger les choses

Just try to - - - - the best of things until the repair man comes.

17. cela n'a pas de sens, ce n'est pas logique

That whole plan doesn't - - - - sense.

18. se décider

Has she - - - - up her mind yet?

19. a. faire des grimaces / b. faire la tête, la moue

a) The two children sat - - - - faces at each other.
b) Why are you - - - - faces?

IDIOMS

1. that'll do — Arrête. Cela suffit.
2. to do exercises — J'ai déjà fait cet exercice.
3. to make food, drinks, etc. — Ce soir elle va faire cuire un poulet mais maintenant veuillez me faire une tasse de thé.
4. to do (plans, weekend, etc.) — Que font-ils pendant le week-end ?
5. do as I say, but not as I do — Faites ce que je dis, pas ce que je fais.
6. to make a film — Où vont-ils tourner le film ?
7. to do good — Ce genre d'exercice vous fera du bien.
8. to make time — Trouvez le temps de le finir avant jeudi.

9. it(she etc.) would make — Elle ferait une meilleure épouse qu'une femme qui exerce une profession.
10. to do something about something — Que pouvons-nous y faire ?
11. to do a review — La semaine prochaine nous ferons une révision de tous les verbes.
12. to do the trick — Prenez-en deux maintenant ; cela fera l'affaire.
13. to make out — Comprenez-vous ce que cette lettre veut dire ?
14. to make a trip — Ferez-vous un voyage l'année prochaine ?
15. to make progress — Nous avons fait beaucoup de progrès depuis un mois.
16. to make the best of things — Essaie d'arranger les choses au mieux jusqu'à ce qu'on vienne réparer.
17. to (not) make sense — L'ensemble du projet n'a pas de sens.

18. to make up one's mind — S'est-elle enfin décidée ?
19. to make faces —
   a) Les deux enfants étaient assis et se faisaient des grimaces.
   b) Pourquoi faites-vous la tête ?

IDIOMS

1. demander à brûle-pourpoint

He asked her point - - - - if she would marry him and settle down.

2. à la bonne franquette / à la fortune du pot

If you're hungry later drop in and you'll take pot - - - - with the left-overs.

3. se vendre comme des petits pains

They're selling like hot - - - -.

4. aller comme un gant

This dress is so comfortable; it fits like a - - - -.

5. une passade

Don't be jealous of Sue, for Tom she is just a passing - - - -.

6. cela s'arrose

That was some promotion you got. Come on, let's - - - -.

7. ajouter le mal à l'injure / en ajouter / doubler la dose

The remark really added insult - - - - - - - - -.

8. se faire attraper

Do you mean that you haven't told your wife yet? Man, you're going to get - - - -.

9. filer un mauvais coton / battre de l'aile

After the years of sickness he's on his last - - - -.

10. boire comme un trou

He has been drinking like a - - - - ever since the death of his wife.

11. chien qui aboie ne mord pas

His bark is worse than - - - - - - - -.

12. enquiquineur / quel raseur, casse-pied

What a pain in the - - - - thay guy is!

13. faute de grives on mange des merles

I won't be difficult, give me what you can. Beggars can't - - - - - - - -.

IDIOMS - KEY

1. to ask point-blank	Il lui demanda à brûle-pourpoint si elle voulait l'épouser et fonder un foyer.
2. to take pot-luck	Si vous avez faim plus tard, passez à la maison et nous mangerons à la fortune du pot.
3. to sell like hot cakes	Se vendre comme des petits pains.
4. to fit like a glove	Cette robe est très confortable. Elle me va comme un gant.
5. a passing fancy	Ne soyez pas jalouse de Sue. Pour Tom ce n'est qu'une passade.
6. let's celebrate!	Quelle promotion vous avez obtenue! Ça s'arrose.
7. to add insult to injury	Cette remarque a vraiment doublé la dose.
8. to get "it"	Vous voulez dire que vous n'en avez pas encore parlé à votre femme? Mon vieux, vous allez vous faire attraper.
9. to be on one's last legs	Après des années de maladie, il file un mauvais coton.
10. *to drink like a fish	Il boit comme un trou depuis la mort de sa femme.
11. his bark is worse than his bite	Chien qui aboie ne mord pas.
12. *what a pain in the neck	Quel raseur, ce type!
13. beggars can't be choosers	Je ne serai pas difficile; donnez-moi ce que vous pouvez... faute de grives on mange des merles.

INTERMEDIATE

1. elle n'est plus dans sa première jeunesse

She should stop wearing minis. She is past her - - - -.

2. le croira qui voudra

Believe it - - - - - - - - she ate all 14 hamburgers.

3. avoir le bras long / être pistonné, avoir ses entrées

Obviously John knows the right - - - - to have got that phone in two weeks.
- has an - - - -
- has pull - - - - (someplace).

4. un tiens vaut mieux que deux tu l'auras / il vaut mieux tenir que courir

If I were you I'd accept the offer, for a bird in the hand is - - - - - - - - - - - - - - - -.

5. c'est du jus de chique / ce n'est pas clair du tout

You've been speaking for 20 minutes and it's still as clear as - - - -.

6. il fait la loi chez lui / il dirige la barque / il fait la pluie et le beau temps

He rules the - - - - here.
- runs the - - - -
- lays down the - - - -.

7. brouiller les cartes

Please don't mention that, it will only cloud - - - - - - - -.

8. jouons cartes sur table / jouons franc jeu

Let's put the cards - - - - - - - - - - - - and make a deal.
- play fair - - - - - - - - -.

9. casser sa pipe / claquer / passer l'arme à gauche

They're all waiting for him to kick the - - - - to cash in on the will.

10. ne cherchez pas la petite bête / ne coupez pas les cheveux en 4 / ne cherchez pas midi à 14 h / c'est du pareil au même, bonnet blanc et blanc bonnet

Stop - - - - hairs, its
- as broad as - - - - - - - -.
- six of one - - - - - - - -.

11. contre vents et marées / envers et contre tout

Through thick - - - - - - - - he stuck with me.

12. jeter de l'huile sur le feu

That only added fuel to - - - - - - - -.

13. porter la culotte

In France, the women certainly don't wear - - - -.

14. cela me donne à réfléchir

That's food - - - - - - - -.

15. avoir un cœur d'or

I'm sure she'll give it to you. She has a heart of - - - -.

16. se porter à merveille / comme un charme / être en pleine forme

I feel as fit as - - - - - - - - since the operation.

129

IDIOMS

1. (she's) past her prime
Elle devrait cesser de porter des mini-jupes. Elle n'est plus dans sa première jeunesse.

2. believe it or not
Elle a mangé tous les 14 hamburgers, le croira qui voudra.

3. to know the right people / to have an "in" / have pull in
John doit avoir le bras long pour avoir obtenu le téléphone en 2 semaines.

4. a bird in the hand is worth two in the bush
J'accepterais si j'étais vous, car un tiens veut mieux que deux tu l'auras.

5. it's as clear as mud
Vous parlez depuis 20 minutes et c'est toujours aussi clair que « du jus de chique ».

6. he rules the roost / runs the show / lays down the law
Ici il fait la pluie et le beau temps.

7. to cloud the issue
N'en parlez pas ! Cela ne ferait que brouiller les cartes.

8. let's put the cards on the table / let's play fair and square
Jouons cartes sur table et concluons l'affaire.

9. *to kick the bucket
Ils attendent tous qu'ils casse sa pipe pour encaisser l'héritage.

10. stop splitting hairs / it's as broad as it's long / it's six of one half, a dozen of the other
Cessez de couper les cheveux en quatre. C'est du pareil au même.

11. through thick and thin
Il est resté de mon côté contre vents et marées.

12. to add fuel to the fire
Cela n'a fait que jeter de l'huile sur le feu.

13. to wear the pants
En France, les femmes ne portent certainement pas la culotte.

14. that's food for thought
Cela me donne à réfléchir.

15. to have a heart of gold
Je suis sûr qu'elle vous le donnera. Elle a le cœur sur la main / un cœur d'or.

16. to feel as fit as a fiddle
Je me porte à merveille depuis l'opération.

INTERMEDIATE

1. connaître la musique / être à la coule / savoir nager

Don't mess around with her. She knows
– the - - - -
– what's - - - -.

2. en amour comme à la guerre tous les coups sont permis

All's fair in - - - - - - - - - - - -.

3. porter un coup en traître/ un coup bas

She wouldn't have said that. It was really hitting below - - - - - - - -.

4. avoir quelque chose sur le bout de la langue

Just a minute, It's at the tip - - - - - - - - - - - -.

5. coup de foudre

The minute I saw him it was love - - - - - - - - - - - - -.

6. du premier coup / sans hésiter

He hit it right off - - - - - - - -.

7. coup de grâce / la dernière goutte qui fait déborder le vase / c'est le bouquet

We've been fighting for a long time but last time was the final - - - -.
last - - - - (that broke the camel's back).

8. on ne peut pas tout avoir

Sorry but you can't have
– your cake and - - - - - - - - - - - -.
– it both - - - -.

9. couper la poire en deux

Come on now. I'll meet you half - - - -.

10. laisser entendre / glisser une remarque

He dropped the - - - - that he'd soon retire.

11. il peut toujours courir

After what he said to me he can whistle - - - - - - - - next time. He should live - - - - - - - -.

12. broyer du noir / avoir le cafard

I'm down in - - - - - - - - about his being sick.

13. c'est son père tout craché

He's a chip off - - - - - - - - - - - -.
– the spitting - - - -.

14. piquer une crise / sortir de ses gonds / se mettre hors de soi / voir rouge

She-flew off - - - - - - - - when he told her.
– had a - - - -
– blew her - - - -
– hit the - - - -
– was fit to be - - - -
– split a blood - - - -
– her blood - - - - (son sang n'a fait qu'un tour).

15. c'est servi sur un plateau d'argent

He has no problem. They gave everything to him on a silver - - - -.

131

IDIOMS

1. to know the score / to know what's what, to know the ropes = savoir nager

   N'essayez pas de lui en conter. Elle connaît la musique.

2. all's fair in love and war

   En amour comme à la guerre tous les coups sont permis.

3. *to hit below the belt

   Elle n'aurait pas dû dire cela. C'était vraiment un coup bas.

4. to be at the tip of one's tongue

   Un moment, je l'ai sur le bout de la langue.

5. love at first sight

   Dès que je l'ai vu, ce fut le coup de foudre.

6. right off the bat

   Il l'a trouvé du premier coup.

7. the final blow, last straw

   Nous luttions depuis très longtemps. Mais cette nuit ce fut le coup de grâce.

8. you can't have your cake and eat it (too) / can't have it both ways

   Désolé, mais on ne peut pas tout avoir.

9. to meet someone half way

   Allons, nous allons couper la poire en deux.

10. to drop a hint

    Il a laissé entendre qu'il prendrait sa retraite bientôt.

11. *you can whistle for it *you should live so long

    Après ce qu'il a dit, il pourra toujours courir la prochaine fois.

12. *to be down in the dumps

    Je broie du noir à cause de sa maladie.

13. *(he's) the spitting image / a chip off the old block

    C'est son père tout craché.

14. *to fly off the handle / have a fit / *blow one's top /*hit the ceiling / to be fit to be tied / to split a blood vessel*/ her* blood boiled

    Elle a piqué une crise lorsqu'il le lui a dit.

15. it was given on a silver platter

    Il n'a eu aucun problème. On le lui a servi sur un plateau d'argent.

132

INTERMEDIATE

1. dire ses 4 vérités à qq'un / sa façon de penser

He got so angry at his boss that he really gave him a piece - - - - - - - - - - -.

2. se fourrer le doigt dans l'œil / n'y être pas du tout / se ficher dedans

He thinks he'll get a raise but he's sadly - - - -; he's all - - - -, he's out in left - - - -.

3. perdre son temps, être superflu, apporter de l'eau à la rivière

That's like bringing coals to - - - -.

4. il a touché le point sensible / c'est là où le bât blesse

See how J. reacted. I think he
– hit- - - -.
– hit a sore - - - -.

5. il ne faut pas remettre au lendemain ce que l'on peut faire le jour même

Never put off to tomorrow -.

6. graisser la patte / donner la pièce

If you s- - - - the waiter something he'll take care of it.

7. qui se ressemble s'assemble / dis-moi qui tu fréquentes et je te dirai qui tu es

Birds of a feather - - - - - - - - -; a man is known by the company - - - - - - - -.

8. œil pour œil / coup pour coup

I'll get even. An eye - - - - - - - - - - - -.

9. c'est facile comme bonjour / cela n'est pas sorcier

It's as easy as - - - -.

10. c'est à prendre ou à laisser

That's my highest offer. Take it or - - - - - - - -.

11. il s'en est fallu d'un cheveu / tenir à un fil / il était moins une / l'échapper belle

He was hanging on by the skin - - - - - - - -.

12. ne quittez pas (téléphone)

Hold the - - - - please and I'll see if she's here.

13. labeur sans soin, labeur de rien / qui trop embrasse mal étreint / qui trop se hâte reste en chemin

Haste makes - - - -; do it slower but well.

14. il est dur à la détente / radin

He really pinches - - - -; he must be Scottish.

IDIOMS

1. to give someone a piece of one's mind

Il était tellement en colère contre son patron qu'il lui a dit ses quatre vérités / sa façon de penser.

2. to be sadly mistaken / *to be all wet / to *be out in left field

Il pense qu'il aura une augmentation, mais il se fourre le doigt dans l'œil.

3. it's like bringing coals to Newcastle

C'est perdre son temps – c'est superflu.

4. to hit home / to hit a sore spot

Voyez comme J. a réagi. Je pense qu'il a touché le point sensible.

5. never put off to tomorrow what you can do today

Il ne faut jamais remettre au lendemain ce que l'on peut faire le jour même.

6. to grease his palm / to slip someone something

Si vous graissez la patte au garçon, il s'en occupera.

7. birds of a feather flock together / a man is known by the company he keeps

Qui se ressemble s'assemble.

8. an eye for an eye

Je me vengerai. Œil pour œil, dent pour dent.

9. it's as easy as pie

Ce n'est pas sorcier.

10. take it or leave it

C'est mon dernier prix. C'est à prendre ou à laisser.

11. by the skin of one's teeth / it was a close shave (for accident usually) / narrow escape

Cela tenait à un fil.

12. hold the line, please

Ne quittez pas, S.V.P. Je vais voir si elle est là.

13. haste makes waste

Qui trop embrasse mal étreint; faites-le moins vite mais bien.

14. he pinches pennies (or) is a penny pincher

Il est vraiment dur à la détente. Ce doit être un Écossais.

134

INTERMEDIATE

1. ne concluez pas rapidement

Don't jump - - - - - - - -, nothing is certain yet.

2. coûte que coûte / par tous les moyens

I'll get even no matter - - - -; by hook or - - - - - - - -, at all - - - - - - - -.

3. tâter le terrain / regarder de quel côté vient le vent

He went on first to see the lay of the - - - -.

4. faire contre mauvaise fortune bon cœur

It was a rough year but we will have to grin and - - - - - - - -.

5. il n'y a pas de quoi rire

This is no laughing - - - -.

6. il fait des siennes / ça y est, il recommence!

He was faithful for a year and now he's up to his old - - - -.

7. fausser compagnie

He followed me all day till I finally managed to give him the - - - -.

8. mordre a qq'chose / se sentir toute suite à son aise

His first riding lesson went like a duck takes - - - - - - - -.

9. plus on est de fous plus on rit

The more the - - - -.

10. joindre les deux bouts

With the rising cost in living it's hard to make ends - - - -.

11. deux avis valent mieux qu'un

Two heads are - - - - - - - - - - -; tell me what you think.

12. c'est une oie blanche

When she first came up from the province she was a babe in the - - - -, wet behind - - - - - - - -.

13. on ne saurait faire boire un âne s'il n'a pas soif

You can lead a horse to water but - - - - - - - - - - - - - - - - - - -.

14. boire la coupe jusqu'à la lie

It was such a bore but I had to stay to the bitter - - - - anyway.

15. touchons du bois, que tout aille bien

Keep your fingers - - - - that everything will work well.

16. faire la grasse matinée

Ssssh, you know your father likes to sleep - - - - Sundays.

17. nous sommes logés à la même enseigne

For heaven's sake stop complaining. We're in the same - - - -, but at least I'm trying to be cheerful.

18. s'en tirer sans une égratignure

He came out of the accident without a - - - -.

IDIOMS

1. don't jump to conclusions

Ne concluez pas rapidement; rien n'est encore certain.

2. no matter what / at all costs / *by hook or by crook

Je me vengerai coûte que coûte.

3. to see the lay of the land

Il a précédé les autres pour tâter le terrain.

4. to grin and bear it

Ce fut une rude année mais il faut faire contre mauvaise fortune bon cœur.

5. (it's) this is no laughing matter

Il n'y a pas de quoi rire au sujet de... (ou) cela ne prête pas à rire.

6. he's up to his old tricks

Il a été loyal pendant un an et maintenant il recommence à faire des siennes.

7. to give someone the slip

Il m'a suivie toute la journée, mais finalement je lui ai faussé compagnie.

8. he took to it like a duck takes to water

Il a été mordu dès sa première leçon de cheval.

9. the more the merrier

Plus on est de fous plus on rit.

10. to make ends meet

Avec le coût de la vie qui continue à augmenter, il est difficile de joindre les deux bouts.

11. two heads are better than one

Deux avis valent mieux qu'un; dites ce que vous en pensez.

12. she's a babe in the woods / *she's wet behind the ears

Quand elle est arrivée de sa province, c'était une oie blanche.

13. you can lead a horse to water but you can't make him drink

On ne saurait faire boire un âne s'il n'a pas soif.

14. to the bitter end

Que c'était ennuyeux et j'ai dû boire la coupe jusqu'à la lie.

15. keep your fingers crossed

Touchons du bois (que tout aille bien).

16. to sleep late

Chut. Vous savez que votre père aime faire la grasse matinée le dimanche.

17. to be in the same boat

Pour l'amour du ciel, cessez de vous plaindre. Nous sommes tous logés à la même enseigne et j'essaie tout de même d'être gai.

18. to get out of something without a scratch

Il s'en est tiré sans une égratignure.

INTERMEDIATE

1. c'est la douche écossaise / un jour blanc, un jour noir

You never know where you stand with her. She blows hot one day and - - - - the next.

2. joindre l'utile à l'agréable

Most Americans try to combine business with - - - - when coming to Paris.

3. ôter un grand poids / une belle épine du pied

Wow, that's a load off - - - - - - - -.

4. à vous d'en juger

Those are the facts. You be - - - - - - - -.

5. être fou à lier / c'est un échappé de Charenton / complètement dingue / il a perdu la tête / la boule

He's as mad as a - - - - -; stark-raving - - - -; off his - - - -; out of his - - - -.

6. être soupe au lait / avoir la tête près du bonnet

Watch out when he gets angry. He has a low boiling - - - -, he's really quick - - - -.

7. laisser qq'un dans une très mauvaise situation / en plan / dans la panade

He left his wife-in the - - - - and ran off with his mistress.
    - high and - - - -
    - out on a - - - -.

8. se lever du pied gauche

He's in a bad mood this morning; he must have got up on the wrong - - - - of the bed.

9. subitement / sur l'impulsion du moment

We decided to go on the spur - - - - - - - - - - - -.

10. il a les mains liées

If he goes to the police the gang will get his sister. What a mess. His hands are really - - - -.

11. a) arrêtez vos salades / vos histoires b) quelle histoire à l'eau de rose.

a) Stop playing hearts and - - - -; I just don't buy it.
b) What a tear- - - - -.

12. cela me dit quelque chose

Yes, that rings a - - - -.

13. avoir lieu

Every year the festival takes - - - - at Cannes.

14. serrer la main

In the States they don't often - - - - hands.

15. c'est du déjà vu, c'est vieux comme le monde, un vieux truc

That kind of attempt is old - - - -.

16. changer d'idée, d'avis

It's a woman's prerogative to change her - - - -.

17. prendre chacun son tour

This game is very simple. Each one takes his - - - - at throwing the dice and the highest number wins.

18. tomber amoureux

He's a real Romeo always flirting and falling - - - - - - - - every week.

19. faire croire

Children love to make - - - - they are princes and princesses.

137

IDIOMS

1. (it) blows hot and cold

Vous ne savez jamais ou vous en êtes avec elle. C'est un jour blanc, un jour noir.

2. to combine business with pleasure

En venant à Paris, la plupart des Américains essayent de joindre l'utile à l'agréable.

3. that's a load off (my, his, etc.) mind

Ouf, vous m'avez ôté un grand poids.

4. you be the judge

Voilà les faits. A vous d'en juger.

5. he's stark-raving mad / *as mad as a hatter / *he's off his rocker / out of his mind

C'est un échappé de Charenton.

6. he has a low boiling point / he's quick tempered

Prenez garde quand il se met en colère. Il monte comme une soupe au lait.

7. to leave (or be left) in the lurch / high and dry / out on a limb

Il a laissé sa femme dans une très mauvaise situation et a rejoint sa maîtresse.

8. to get up on the wrong side

Il est de mauvaise humeur ce matin. Il a dû se lever du pied gauche.

9. on the spur of the moment

On a décidé subitement d'y aller.

10. to have one's hands tied

S'il avertit la police, le gang s'en prendra à sa sœur. Quel pétrin; il a vraiment les mains liées.

11. a) stop playing hearts and flowers b) what a tear jerker

Arrêtez vos salades, je ne marche pas.

12. it rings a bell

Oui, cela me dit quelque chose.

13. to take place

Tous les ans le festival a lieu à Cannes.

14. to shake hands

Aux États-Unis, on ne serre pas souvent la main.

15. it's old hat

C'est du déjà vu — c'est vieux comme le monde.

16. to change one's mind

C'est le propre d'une femme de changer d'avis.

17. to take turns

Ce jeu est très simple. Chacun jette les dés à son tour et le nombre le plus fort gagne.

18. to fall in love (with)

C'est un vrai Don Juan. Il flirte toujours et tombe amoureux chaque semaine.

19. to make believe

Les enfants adorent faire croire qu'ils sont des princes et des princesses.

138

INTERMEDIATE

1. il n'en est pas question

I'm absolutely certain that she won't come with him. It's out of - - - - - - - - that they be seen together again.

2. il va sans dire, de soi

That one should eat when hungry goes - - - - - - - -.

3. tenir compte de

When judging her you should keep in - - - - that she had little opportunity in life.

4. cela ne fait rien

It does not - - - -.

5. ne pas pouvoir s'empêcher

Johnny was so funny that the people couldn't - - - - laughing.

6. distinguer entre

The twins look so much alike I really can't tell them - - - -.

7. se répandre comme une traînée de poudre

The news spread like - - - -.

8. reconnaître de vue

I only saw him once, but I'm sure I'll know him - - - - - - - - anyway.

9. rester valable

My offer holds - - - - until next Monday so make up your mind.

10. écrire un mot

I hope you will drop me - - - - - - - - this summer.

11. a) c'est la fin b) les carottes sont cuites, son compte est bon

a) Hand in your papers. That's the ball - - - -.
b) If his boss finds out, that's the ball - - - -.

12. (elle) me tape (porte) sur les nerfs

I tell you she has a horrible personality and always gets on my - - - -.

13. mériter / c'est bien fait pour elle / elle ne l'a pas volé

I don't feel sorry for her. After what she did to him it served her - - - - that he married someone else.

14. laissez-la tranquille

She is quite upset and I suggest that you leave her - - - -.

15. tourner autour du pot

I can never get a straight answer out of him as he is forever beating around - - - - - - - -.

16. mettre les pieds dans le plat

Everything was going well until I put my - - - - - - - - - - - by saying that.

17. garder son sang-froid

The best thing in an emergency is to keep
– your - - - - and get the best of the situation.
– your - - - -.

18. faire une promenade

This afternoon we're going to go for - - - - - - - - in Champ de Mars.

19. je suis persuadé / je suis sûr que

I take it for - - - - that you always do the work I give you.

20. se réaliser

I hope all your wishes come - - - -.

21. faire des courses

You must excuse me I have to run some - - - -.

139

IDIOMS

1. it's out of the question — Je suis absolument certain qu'elle ne viendra pas avec lui. Il est impossible qu'on les voie de nouveau ensemble.

2. it goes without saying — Cela va sans dire que l'on doit manger quand on a faim.

3. to keep in mind — En la jugeant, tenez compte du fait qu'elle a eu peu de possibilités dans la vie.

4. it does not matter — Cela ne fait rien.

5. can't help (verb + ing) — Johnny était si drôle que les gens ne purent s'empêcher de rire.

6. to tell apart — Les jumeaux se ressemblent tellement que je ne peux vraiment pas les distinguer.

7. to spread like wildfire — Les nouvelles se sont répandues comme une traînée de poudre.

8. to know on sight — Je ne l'ai vu qu'une fois mais de toute façon je suis sûr que je le reconnaîtrai.

9. to hold good — Mon offre reste valable jusqu'à lundi prochain, donc décidez-vous.

10. to drop someone a line — J'espère que vous m'écrirez un mot cet été.

11. that's the ball game — a) Rendez vos papiers, c'est la fin. b) Si son patron le découvre, les carottes sont cuites.

12. she gets on my nerves — Je vous assure qu'elle a un caractère détestable et me porte toujours sur les nerfs.

13. it serves her (etc.) right — Je ne la plains pas. Après tout ce qu'elle lui a fait, elle a mérité qu'il en épouse une autre.

14. leave her alone — Elle est vraiment bouleversée et je vous conseille de la laisser tranquille.

15. to beat around the bush — Je ne peux jamais avoir de lui une réponse franche car il tourne toujours autour du pot.

16. to put one's foot in it — Tout allait bien jusqu'à ce que je mette les pieds dans le plat en disant cela.

17. keep your head / *your cool — En cas d'accident, le mieux est de garder son sang-froid et de dominer la situation.

18. to go for a walk — Cet après-midi, nous allons faire une promenade au Champ de Mars.

19. I take it for granted — Je suis persuadé que vous faites toujours le travail que je vous confie.

20. to come true — J'espère que tous vos souhaits se réaliseront.

21. to run errands — Il faut m'excuser, j'ai des courses à faire.

1. ne pas avoir la moindre chance

Belgium doesn't stand a (Chinaman's) - - - - to win the Olympics,
- a ghost of a - - - -.

2. ne mettez pas la charrue avant les bœufs

Don't put the - - - - before the horse.

3. cela me convient parfaitement

The plans suit me to a - - - -.

4. ne pas marcher / marcher de travers

I'm sure that something has gone - - - - ; otherwise they would have come already.

5. se terminer

These exercises have almost come to an - - - -.

6. laisser sur le dos

They all ran and left him — holding the - - - - :
— to take the - - - -.

7. bref / en un mot

To cut a long - - - - - - - - -, he left her.
— The long and the - - - - - - - - - - - - is, he left her. — - - - - a nutshell, he left her.

8. c'est un obsédé / il ne pense qu'à ça

He has a one track - - - - and could never do business with women.

9. payer la douloureuse / la facture

His daughter bought the trousseau and her fiance
— footed the - - - -,
— picked up the - - - -.

10. gratter les fonds de tiroirs

You must have really been scraping the bottom of the - - - - to have chosen him to help.

11. en une seconde / illico presto / en un tour de main / en 2 temps 3 mouvements / tout de go / en un clin d'œil / en 5-7 / dare-dare

I'll do it in a s - - - -, in a f- - - -,
in a j- - - -,
in the bat - - - - - - - - - - - - -,
in a flick of - - - - - - -,
in next to - - - - - - - -,
in two shakes of a lamb's - - - -.

12. le monde appartient à celui qui se lève tôt

The early bird catches - - - - - - -.

13. loin des yeux, loin du cœur

Out of sight, - - - - - - - - - - - -.

14. il ne faut pas mettre tous ses œufs dans un même panier

Don't put all your eggs - - - - - - - - - - - - - - - -.

15. elle n'est pas née d'hier

She wasn't - - - - - - - -.

16. ce qui est fait est fait

It's no use crying over - - - - - - - -; what's done - - - - - - - -.

IDIOMS

1. not to stand a (*Chinaman's) chance / a ghost of a chance

La Belgique n'a pas la moindre chance de gagner les jeux Olympiques.

2. don't put the cart before the horse

Ne mettez pas la charrue avant les bœufs.

3. it suits me to a tee

Ces projets me conviennent parfaitement.

4. to go wrong

Je suis sûr que quelque chose ne va pas, autrement, ils seraient déjà venus.

5. to come to an end

Ces exercices sont presque terminés.

6. to have (him) holding the bag / to take the rap

Ils ont tous filé et lui ont tout laissé sur le dos.

7. to cut a long story short / the long and the short of it is... / in a nutshell

Bref (en un mot), il la quitta.

8. *he has a one track mind

Il ne pense qu'à cela et ne pourrait jamais faire des affaires avec les femmes.

9. to foot the bill / to pick up the tab

Sa fille a acheté son trousseau et le fiancé a payé la douloureuse.

10. *to scrape the bottom of the barrel

Vous avez dû gratter les fonds de tiroirs pour demander de l'aide à quelqu'un comme lui.

11. *in a second / in a jiffy / in a flash / *in a bat of an eye / *in a flick of a wink / in next to no time / *in 2 shakes of a lamb's tail

Je vais faire cela en un tour de main/en une seconde, etc.

12. the early bird catches the worm

Le monde appartient à celui qui se lève tôt.

13. out of sight, out of mind

Loin des yeux, loin du cœur.

14. don't put all your eggs in one basket

Il ne faut pas mettre ses œufs dans le même panier.

15. she wasn't born yesterday

Elle n'est pas née d'hier.

16. it's no use crying over spilt milk, what's done is done

Ce qui est fait est fait.

INTERMEDIATE

1. mettre dans le mille / tomber juste / faire mouche

You hit the nail - - - - - - - - - - - -.

2. vouloir c'est pouvoir / quand on veut, on peut

Where there's a will, there's - - - - - - - -.

3. c'est monnaie courante / se vend à la douzaine

That kind of painting is a dime a - - -- - -.

4. je vous paye des prunes/ j'en mets ma tête à couper / j'en mettrais ma main au feu

If you can do that, I'll eat my - - - -.

5. faire peau neuve / tourner la page

Come January first and I'm going to turn over - - - - - - - - - - - - -.

6. l'habit ne fait pas le moine

Don't judge a book by - - - - - - - -.

7. quand le chat n'est pas là, les souris dansent

When the cat's away the - - - - - - - - - - - -.

8. soyez franc / ne me ménagez pas / dites-le carrément

However bad, I want to know, - don't pull any - - - -.
- give it to me - - - -.

9. pour comble de malheur / par-dessus le marché

He lost all on the stock market and then
– to make things - - - - he fell ill,
– to top it - - - -,
– to b- - - -.

10. un malheur ne vient jamais seul (un bonheur...)

Yes, he had one piece of bad luck after another; it's true that when it rains it - - - -.

11. vous me faites marcher / vous plaisantez

That sounds very far-fetched. I bet you're pulling - - - - - - - -.

12. être pris entre 2 feux / être pris entre le marteau et l'enclume

In her situation I wouldn't know what to do either. She's really caught between the devil and - - - - - - - - - - - - - - - -.

13. il a vendu la mèche / la partie

I wanted to keep that new deal quiet but my assistant
– gave the show - - - -,
– spilled the - - - -,
– let the cat - - - - - - - - - - - - - - - -.

14. il l'a menée en bateau

All along she thought he was single, boy he really took her for a - - - -.

15. heureux aux jeu, malheureux en amour

Lucky in - - - - - - - - - - - - - - - -.

16. contre vents et marées

Come hell or - - - - - - - - I will go.

IDIOMS

1. to hit the nail on the head	Vous êtes tombé juste.
2. where there's a will there's a way	Quand on veut on peut.
3. it's a dime a dozen	Ce genre de tableau est monnaie courante.
4. *I'll eat my hat	J'en mets ma tête à couper.
5. to turn over a new leaf	A partir de janvier, je fais peau neuve.
6. you can't (or don't) judge a book by its cover	L'habit ne fait pas le moine.
7. when the cat is away the mice will play	Quand le chat n'est pas là, les souris dansent.
8. don't pull any punches / give it to me straight	Aussi mauvais que cela puisse être, je veux savoir, donc n'y allez pas de main morte/ne me ménagez pas.
9. to make things worse / to top it off / to *boot	Il a tout perdu à la bourse et pour comble de malheur, il est tombé malade.
10. when it rains it pours	Oui, il a joué de malchance, il est vrai qu'un malheur n'arrive jamais seul.
11. to pull someone's leg	Cela paraît tiré par les cheveux, je parie que vous me faites marcher.
12. to be caught between the devil and the deep blue sea	A sa place, je ne saurais pas quoi faire non plus. Elle est vraiment prise entre le marteau et l'enclume.
13. *he spilled the beans / *let the cat out of the bag, gave the show away	Je voulais garder secrète cette nouvelle affaire, mais mon assistant a vendu la mèche.
14. he took her for a ride	Elle avait toujours pensé qu'il était célibataire. Il l'a vraiment menée en bateau.
15. lucky in cards, unlucky in love	Heureux aux cartes malheureux en amour.
16. come hell or high water	J'irai contre vents et marées.

144

INTERMEDIATE

1. regardez avant de sauter	Look before you - - - -.
2. Rome ne fut pas construite en un jour	Rome wasn't - - - - - - - - - - - - - - - -.
3. ne vendez pas la peau de l'ours avant de l'avoir tué	Don't count your chickens before - - - - - - - -.
4. c'est chercher une aiguille dans un tas de foin	It's like looking for a needle - - - - - - - - - -.
5. dans le pétrin / dans la mélasse / en rade / être frais	She will have to think hard to find a solution. She's really in a tight - - - -; in a j- - - -; in a h- - - -; in - - - - water; up the creek without - - - - - - - -.
6. mettre qq'un en pièces / réduit en miettes	What a criticism. She tore him to - - - -.
7. le mieux est l'ennemi du bien / restons-en là	I was going to call to apologize, but on second thought I'd better leave well enough - - - -.
8. tous les 36 du mois	I only see him once in a blue - - - - when he needs help.
9. ça m'a ouvert les yeux	Seeing them together was an eye - - - -.
10. du tac au tac / renvoyer la balle	They answered each other tit for - - - -.
11. faire volte-face / retourner sa veste	All was settled with the two companies and then Shell did an about - - - -.
12. c'est le dessus du panier la fine fleur / le fin du fin / la crème	Try some of this; it's the cream of the - - - -; the pick - - - - - - - - - - - -.
13. à Pâques ou à la Trinité / quand les poules auront des dents / à la semaine des 4 jeudis / à la saint-glinglin	If I were you I wouldn't wait for John to do it or else you'll get it when the cows come - - - -; when hell freezes - - - -.
14. vous êtes tombé dans le panneau / vous avez mordu à l'hameçon / vous vous êtes mis entre ses mains	You played right into his - - - - by making that answer.
15. rater le coche / manquer son coup	John missed-his - - - - to get them to sign the contract. -the b- - - - (in getting them to - - - -)
16. aux innocents les mains pleines	Fools rush in where wise men - - - - - - - - - - - -.

IDIOMS

1. look before you leap	Il faut regarder où on met les pieds.
2. Rome wasn't built in a day	Rome ne s'est pas bâtie en un jour.
3. don't count your chickens before they're hatched	Ne vendez pas la peau de l'ours avant de l'avoir tué.
4. it's like looking for a needle in a haystack	C'est comme si on cherchait une aiguille dans une meule de foin.
5. she's in a tight spot / jam / *hole / hot water / *up the creek without a paddle	Elle devra penser sérieusement à trouver une solution. Elle est vraiment dans le pétrin.
6. she tore him to pieces	Quelle critique. Elle l'a mis en pièces.
7. (I'd better) leave well enough alone	J'allais appeler pour m'excuser, mais après coup, j'ai pensé que souvent le mieux est l'ennemi du bien.
8. once in a blue moon	Je le vois tous les 36 du mois quand il a besoin d'aide.
9. it was an eye-opener	Cela m'a ouvert les yeux de les voir ensemble.
10. tit for tat	Ils se répondaient du tac au tac.
11. to do an about-face	Tout était arrangé entre les deux sociétés et soudain Shell retourna sa veste.
12. it's the pick of the lot / the cream of the crop	Goûtez-y. C'est le fin du fin. C'est le dessus du panier.
13. *when the cows come home / *when hell freezes over	A votre place, je n'attendrais pas que John le fasse, sinon vous l'aurez quand les poules auront des dents.
14. you played right into his hands	Vous êtes tombés dans le panneau en faisant une telle réponse.
15. ...missed his chance / the boat	Il a raté le coche pour lui faire signer le contrat.
16. fools rush in where wise men fear to tread	Les fous se précipitent où les sages ne vont pas (traduction littérale).

146

INTERMEDIATE

1. je vous présente...

Mr. Dupont I'd like you to - - - - ... (one of a few possible expressions)

2. sec ou avec de la glace

- - - - or on the rocks?

3. payer les pots cassés / la note

He comes late every day but eventually will have
- to face the - - - -,
- to pay - - - - - - - -.

4. être dans ses petits souliers / sur des charbons ardents

She's on pins and - - - - for the answer.

5. pendre la crémaillère

They moved recently and the house - - - - party is on Saturday.

6. de pied en cap / de la tête aux pieds

They are going to reorganize the place from tip - - - - - - - -.

7. faire fausse route / être sur une fausse piste

No, that's not at all the reason. You're barking up the - - - - - - -.

8. il y tient comme à la prunelle de ses yeux

This is his pet company. It's the apple of - - - - - - - -.

9. ça n'a ni queue ni tête / c'est de l'hébreu / quel charabia

Your idea is absurd. I can't even make heads or - - - - of it.

10. quel coup de barre / coup de fusil / coûter les yeux de la tête

What a restaurant! You pay-through the - - - - for a simple dinner.
- an arm and a - - - -,
- a pretty - - - -.

11. rentrer les mains vides / rentrer bredouille / y aller pour des prunes

The contract was supposed to be signed today but the boss came back empty - - - -; but it was a wild goose - - - -.

12. il respire la santé / il se porte comme un charme

Since your vacation, Jack, you are really the picture - - - - - - - -.

13. prendre les gens à rebrousse-poil

He has a knack for rubbing people the wrong - - - -.

14. battre le fer tant qu'il est chaud

My best advice to you is-to - - - - while the iron's hot.
                    - make hay while the sun - - - -.

15. dormir comme un loir / une souche

After eating all that, I'm going to sleep like a - - - -.

16. quoi qu'il en soit

Be that as it - - - -, I don't want to see him again.

17. être vieux comme le monde

That story is as old as the - - - -.

18. le juste milieu

A four hour lesson is too long and a one hour one too short. I think this is-the golden - - - -,
                    - the happy - - - -.

IDIOMS

1. I'd like you to meet... — M. Dupont, je vous présente...

2. straight or on the rocks — Sec ou avec de la glace?

3. to face the music / to pay the piper — Il vient en retard tous les jours, mais un jour ou l'autre il faudra payer la note.

4. to be on pins and needles — En attendant la réponse, elle est sur des charbons ardents.

5. a house-warming (party) — Ils ont récemment déménagé. Ils pendent la crémaillère samedi.

6. from tip to toe — Ils vont réorganiser la place de pied en cap.

7. *you're barking up the wrong tree — Non, ce n'est pas du tout la raison. Vous faites fausse route.

8. it's (etc.) the apple of his eye — C'est son favori. Il y tient comme à la prunelle de ses yeux.

9. I can't make heads or tails of it — Votre idée est absurde. Ça n'a ni queue ni tête.

10. *to pay through the nose / to cost an arm and a leg / to cost a pretty penny — Quel restaurant pour un dîner simple, quel coup de fusil!

11. to come back empty-handed /* to be a wild goose chase — Le contrat devait être signé aujourd'hui, mais le patron rentra bredouille.

12. he's (etc.) the picture of health — Depuis vos vacances, Jack, vous respirez vraiment la santé.

13. to rub people the wrong way — Il a le chic pour prendre les gens à rebrousse-poil.

14. to strike while the iron is hot / to make hay while the sun shines — Mon avis est qu'il faut battre le fer tant qu'il est chaud.

15. to sleep like a log — Après avoir tant mangé, je vais dormir comme un loir.

16. be that as it may — Quoi qu'il en soit, je ne veux plus le revoir.

17. as old as the hills — Cette histoire est vieille comme le monde.

18. the golden mean / the happy medium — Un cours de quatre heures est trop long, un de une heure trop court, je pense que ceci est le juste milieu.

1. c'est la quadrature du cercle / forcer trop les choses

It's like trying to fit a square peg in a - - - - - - - -.

2. c'est le moment ou jamais

It's now or - - - - -.

3. faire baisser le ton / remettre à sa place / en rabattre

The loss of the contract - took him down a peg - - - - - - - -.
              - cut him down - - - -.

4. les chances sont de son côté

The odds are in her - - - -.

5. en faire une montagne

Stop making a mountain out of a - - - -. It isn't so difficult.

6. se défendre (jeu, sport)

I can hold my - - - - in bridge.

7. faire les 400 coups / tournée des grands ducs / une virée

We will — paint the town - - - - after finishing the exam.
       — hit the high - - - -.

8. officieusement

Please don't say I told you. It was told to me off the - - - -.

9. se taper la tête contre les murs

Trying to see the President was like - - - - his head against the wall.

10. reste à savoir si

He said he would do it but it remains to - - - - - - - - if he will.

11. disparaître

He is such a bore. I wish he'd take a - - - -.

12. c'est en forgeant que l'on devient forgeron

Practice makes - - - -, so let's continue this list.

13. s'y mettre / se mettre à l'ouvrage

Enough fooling around. Let's — get down to - - - -.
       — put our shoulders to - - - - - - - -.

14. à vos risques et périls

At your - - - - - - - -.

15. dans les coulisses

I don't know how their marriage is actually but there is a lot going on behind - - - - - - - -.

16. réflexion faite

On second - - - - I don't think you were right about him.

17. changer de ton / d'attitude

For two years he didn't care what he said to her and now that she has begun to be interested in someone else he certainly is changing his - - - -.

18. se la couler douce / avoir la belle vie

With this new company he is certainly sitting - - - -; (or) he is on easy - - - -.

IDIOMS

1. it's like trying to put a square peg in a round hole

   C'est impossible, c'est la quadrature du cercle.

2. it's now or never

   C'est maintenant ou jamais.

3. to take him down a peg or two / cut him down to size

   Le fait d'avoir perdu le contrat lui en a fait rabattre un peu.

4. the odds are in her favor

   Les chances sont de son côté.

5. to make a mountain out of a molehill

   Arrêtez d'en faire une montagne, ce n'est pas si difficile.

6. I can hold my own

   Je me défends au bridge.

7. to paint the town red / to hit the high spots

   Après l'examen on va faire les quatre cents coups.

8. off the cuff

   Ne répétez pas ce que je vous ai dit. Je l'ai su officieusement.

9. to hit one's head against the wall

   Essayer de voir le président, c'était se heurter à un mur.

10. it remains to be seen if

    Il a dit qu'il le ferait mais il reste à savoir s'il le fera.

11. *to take a powder

    Comme il est ennuyeux. Je souhaite qu'il disparaisse.

12. practice makes perfect

    Plus on pratique, mieux on sait, donc continuons cette liste.

13. let's get down to business / put our shoulders to the wheel

    Assez de temps perdu. Travaillons sérieusement (mettons-nous-y, mettons-nous à l'œuvre).

14. at your own risk

    A vos risques et périls.

15. behind the scenes

    J'ignore comment va leur mariage réellement, mais on dit des tas de choses en coulisse.

16. on second thought

    Réflexion faite, je ne pense pas que vous aviez raison à son sujet.

17. to change one's tune

    Pendant deux ans, il ne fit pas attention à ce qu'elle lui disait, mais maintenant qu'elle commence à s'intéresser à quelqu'un d'autre, il change d'attitude.

18. to be sitting pretty / to be on easy street

    Dans cette nouvelle Compagnie il se la coule douce.

150

EARLY ADVANCED

1. sa langue a fourché

She made a slip of the - - - - when she asked him about his wife who died two years before.

2. la nuit porte conseil / laissez-moi y réfléchir

I can't answer you now; let me sleep - - - - - - - - and we'll see tomorrow.

3. mettre la puce à l'oreille / flairer quelque chose de louche

I smelled a - - - - when he avoided my questions.

4. ne réveillez pas le chat qui dort

Go ahead and ask him if you want, but I would let sleeping - - - - - - - -.

5. appelons un chat un chat / les choses par leur nom

Let's call a spade a - - - - ; speak frankly.

6. ça m'est sorti de la tête

Please excuse me for forgetting to bring it to you. It completely slipped my - - - -.

7. ce qui arrivera, arrivera

Whatever will be - - - - - - - - ; don't worry.

8. venons-en au fait

Enough beating around the bush. Let's get down to − brass - - - -.
  − c- - - -.

9. ne pas en démordre / insister

Don't let him bully you; stick to your - - - -.

10. en tout bien tout honneur / sans équivoque / sans restrictions

I truly believe he meant it - with no strings - - - -.
  - above - - - -.

11. penchant pour les bonbons / être gourmand

She has a sweet - - - - and devours pounds of chocolates.

12. tirer ses propres conclusions / à vous d'en conclure

I won't say any more. You can put two and - - - - - - - -.

13. être à l'ordre du jour / défrayer la chronique

Her new divorce is the talk of the - - - -.

14. flanquer tout par terre

The gang was working the area successfully for many years and then the cops came in and upset the apple - - - -.

15. ce fut tout juste / de justesse

It was touch and - - - - but he finally pulled through.

16. vous brûlez

Guess again. You're getting - - - -.

17. je vous parie à 10 contre 1

It's ten to - - - - that she won't write it.

18. regretter ses propos / se mordre la langue

What a success he is. His mother thought he would flop at everything and she must be eating her - - - - now.

19. au pire / en mettant les choses au pire

Take all you need now and, if worse comes - - - - - - - -, I can always get some from Joe.

151

IDIOMS

1. he made a slip of the tongue

Sa langue a fourché lorsqu'elle lui a demandé des nouvelles de sa femme morte il y a deux ans.

2. to sleep on something

Je ne peux pas vous répondre maintenant, nous verrons demain ; la nuit porte conseil.

3. *to smell a rat

J'ai senti qu'il y avait quelque chose de louche quand il a évité mes questions (ça m'a mis la puce à l'oreille).

4. let sleeping dogs lie

Allez-y et demandez-lui si vous voulez. Mais moi, je ne réveillerais pas le chat qui dort.

5. let's call a spade a spade

Appelons un chat un chat, parlez franchement.

6. it slipped my mind

Excusez-moi d'avoir oublié de vous l'apporter. Cela m'est complètement sorti de la tête.

7. whatever will be, will be

Ce qui arrivera, arrivera. Ne vous inquiétez pas.

8. let's get down to brass tacks / down to cases

Assez tourné autour du pot. Venons-en au fait.

9. stick to your guns

Ne le laissez pas vous dominer, ne démordez pas de vos idées.

10. no strings attached / above board

Je crois vraiment qu'il l'a dit en toute sincérité (sans équivoque).

11. to have a sweet tooth

Elle a un penchant pour les bonbons et elle dévore des kilos de chocolats.

12. put two and two together

Je n'en dirai pas plus. Je vous laisse tirer vos propres conclusions.

13. to be the talk of the town

Son divorce est à l'ordre du jour.

14. to upset the apple cart

Le gang travaillait sur la région avec succès depuis longtemps quand les flics sont arrivés et ont tout flanqué par terre.

15. it was touch and go (health, accident, etc.)

Ce fut tout juste mais finalement il s'en est sorti.

16. you're getting warm

Essayez encore. Vous brûlez.

17. it's ten to one (I give you ten to one)

Je vous parie à 10 contre 1 qu'elle ne l'écrira pas.

18. to eat one's words

Quel succès il a maintenant. Sa mère pensait qu'il échouerait partout. Elle doit regretter ses propos.

19. if worse comes to worse

Prenez ce dont vous avez besoin et au pire, je peux toujours obtenir davantage de John.

1. je n'arrivais pas à placer un mot

She talked on and on and on. I couldn't get a word in - - - - - - - -.

2. ce serait l'aveugle conduisant le paralytique / peine perdue

You've got to be kidding offering to teach him how to play bridge. That's really the blind leading - - - - - - - -.

3. tenir la bride serrée

He holds tight - - - - on all the employees.

4. un point pour vous / à qui mieux mieux

As usual it was one-upsman - - - - with them.

5. un touche à tout / quand on est propre à tout on n'est propre à rien / un factotum / être un maître Jacques

What a guy Tom is; a) Jack of all - - - - -; b) master of - - - -.

6. tout vient à point à qui sait attendre / à chacun son tour

Every dog has its - - - - -; it's inevitable to win once.

7. cela aboutira bientôt

They've been talking for two weeks. Things will come to a - - - - soon.

8. tout est bien qui finit bien

All's well that - - - - - - - -.

9. il s'agit de se taire / bouche cousue / motus

Don't say anything when you see her. Mum's the - - - -.

10. vous m'enlevez les paroles de la bouche

You took the words right - - - - - - - - - - - - - - - -.

11. cessez de tourner en rond et venez-en au fait

Stop turning in - - - - and get to the - - - -.

12. une faute n'en excuse pas une autre

Don't give me excuses. I don't care if she made the same mistake, two wrongs don't make - - - - - - - -.

13. tomber de Charybde en Scylla / changer son cheval borgne pour un aveugle

As if asking her age wasn't enough, he then went out of the frying pan - - - - - - - - - - - - and asked where her husband was.

14. suer sang et eau

She had to sweat-blood - - - - - - - - to bring up to the kids.
-b- - - -.

15. faire des miracles

That works - - - -.

16. il faut de tout pour faire un monde

It takes all kinds - - - - - - - - - - - - - - - - -.

17. y regarder à deux fois / tourner sa langue 7 fois dans sa bouche avant de...

It may sound good now but I would think - - - - before leaping into anything so new.

IDIOMS

1. I couldn't get (not to be able to) a word in edgewise

   Elle parlait, parlait, parlait, je n'arrivais pas à placer un mot.

2. it's the blind leading the lame

   Vous plaisantez en offrant de lui apprendre à jouer au bridge. Ce serait vraiment comme l'aveugle guidant le paralytique.

3. to hold tight reins

   Il tient la bride serrée à tous ses employés.

4. (it was) one-upsmanship

   Comme toujours, à qui mieux mieux.

5. Jack of all trades — master of none (used together or first part alone)

   Quel type que ce Tom. a C'est un maître Jacques (positif).
   b Quand on est propre à tout on n'est propre à rien (négatif).

6. *every dog has its day

   C'est inévitable qu'il gagne une fois, tout vient à point à qui sait attendre.

7. things will come to a head

   Ils discutent depuis deux semaines. Cela aboutira bientôt.

8. all's well that ends well

   Tout est bien qui finit bien.

9. mum is the word

   Ne dites rien quand vous la verrez. Il s'agit de se taire.

10. you took the words right out of my mouth

    Vous m'enlevez les paroles de la bouche.

11. stop turning in circles and get to the point (can be used separately)

    Cessez de tourner en rond et venez-en au fait.

12. two wrongs don't make a right

    Ne me donnez pas d'excuses, cela m'est égal si elle a fait la même faute; une faute n'en excuse pas une autre.

13. to go out of the frying pan into the fire

    Comme si le fait de demander son âge n'était pas suffisant, il lui demanda où était son mari. C'était tomber de Charybde en Scylla.

14. *to sweat blood and tears / *to sweat bullets

    Elle a sué sang et eau pour élever ses enfants.

15. that works wonders

    Cela fait des miracles.

16. it takes all kinds to make a world

    Il faut de tout pour faire un monde.

17. think twice

    Cela me semble bon, mais j'y regarderais à deux fois avant de me lancer dans quelque chose d'aussi nouveau.

154

1. si j'ai bonne mémoire

If my memory serves - - - - - - - -, he's coming tomorrow.

2. avoir les moyens

It seems good to me, if you have the ways and - - - - to carry it off.

3. être fana de... / ça me va / j'en suis

A good bridge right up my - - - -.

4. tel père tel fils

- - - - father - - - - son.

5. prendre son mal en patience / ronger son frein

He has only been married a year and he is already champing at - - - - - - - -.

6. rentrer dans ses frais / retrouver sa mise

At last he got back his - - - -.

7. voir c'est croire

- - - - is - - - -.

8. ne faites pas à autrui ce que vous ne voudriez pas qu'on vous fasse à vous-même

Do unto others as you would have - - - - - - - - - - - - - - - -.

9. tout avaler / tout croire / tout gober

He fell hook, line and - - - - for the sales pitch.

10. c'est en bonne voie

It's on the - - - -.

11. prétentieux / outre-cuidant / suffisant

Her-holier than - - - - attitude just bugs me.
     -high and - - - -.
She can get off her high - - - -.

12. à plus forte raison

All the - - - - - - - -.

13. faire la paix / enterrer la hache de guerre

Okay, let's bury the - - - -.

14. l'homme qu'il faut à la place qui lui convient

His bank is very proud of him for he is certainly the - - - - man in the - - - - place.

15. les enfants du 1er lit

They are the children of the - - - - marriage.

16. rien ne vaut son chez soi

There's no place - - - - - - - -.

17. devancer qq'un

I was going to ask him but he jumped the - - - -.

18. c'est une question de vie ou de mort

I must get this contract signed. It's - do or - - - -.
     - sink or - - - -.

19. préparer le terrain

The Ambassador came to Paris to try and pave the - - - - to peace.

20. les murs ont des oreilles

Let's be careful of what we say here; walls - - - - - - - -.

21. blouser qq'un / faire une vacherie / refaire / avoir

He pulled a fast - - - - with the contract but we'll get him yet.

IDIOMS

1. if my memory serves me right	Si j'ai bonne mémoire, il viendra demain.
2. to have the ways and means	Cela me semble bon si vous avez les moyens de le faire.
3. it's right up my alley	Je suis fana de jouer au bridge vendredi.
4. like father, like son	Tel père, tel fils.
5. to champ at the bit	Il n'est marié que depuis deux ans et déjà il ronge son frein.
6. to get back one's outlay	Il est finalement rentré dans ses frais.
7. seeing is believing	Voir c'est croire.
8. do unto others as you would have others do unto you	Ne faites pas à autrui ce que vous ne voudriez pas qu'on vous fasse à vous-même.
9. *to fall hook, line and sinker	Il a gobé tout ce que lui a dit le vendeur.
10. it's on the way	C'est en bonne voie.
11. to be holier than thou / to be high and mighty / to be on one's high horse	Sa façon de toujours juger de haut me casse les pieds.
12. all the more reason	A plus forte raison.
13. let's bury the hatchet	Allez, enterrons la hache de guerre.
14. the right man in the right place	Sa banque est très fière de lui car c'est l'homme qu'il faut à la place qu'il faut.
15. of the first marriage	Ce sont les enfants du premier lit.
16. there's no place like home	Rien ne vaut son chez soi.
17. to jump the gun	J'allais l'interroger mais il m'a devancé.
18. do or die / sink or swim	Je dois faire signer ce contrat. C'est une question de vie ou de mort.
19. to pave the way	L'Ambassadeur est venu à Paris pour essayer de préparer le terrain pour conclure la paix.
20. walls have ears	Attention à ce que vous dites ici ; les murs ont des oreilles.
21. to pull a fast one	Il nous a refaits avec le contrat, mais nous l'aurons.

156

EARLY ADVANCED

1. l'avenir appartient à ce-lui qui se lève tôt

Early to bed, early to rise, makes -.

2. qui rien ne sait, de rien ne doute

Don't tell him, ignorance is - - - -.

3. pourquoi diable! / pour l'amour du ciel!

Why on - - - -! For the love - - - - - - - -!

4. quitte ou double

What do you say? / Double or - - - -?

5. avez-vous du feu?

Have you a - - - -?

6. le factotum / l'homme de toutes les besognes

Jack is the boss but in general he is the chief cook and bottle - - - -.

7. bravo

Well - - - -.

8. être dans les mauvaises grâce de qq'un / être mis en quarantaine

Watch out. You're in the dog - - - - with me since last week.

9. reprenez du gâteau, je vous en prie

Help - - - - to some more cake.

10. je parie ma chemise

I bet my bottom - - - - that you're wrong.

11. vous feriez mieux (de partir plus tard)

You'd - - - - go later.

12. se battre contre des moulins à vent

Give up. You can't fight City - - - -.

13. bien dit

- - - - said.

14. se mouiller / s'exposer / se compromettre

The boss is sticking out his - - - - for her and I hope there are no repercussions.

15. tout est possible

If you have the ideas and the energy in America, the - - - - is the limit.

16. de cape et d'épée

The best selling stories are still the cloak and - - - - ones.

17. avec tout le respect que je vous dois

With all - - - - respect, I don't agree.

18. jouer / risquer le tout pour le tout / le paquet

I know it's a gamble but we have decided-
– to go for - - - -.
– to shoot the - - - -.

19. arrêter les frais / jeter l'argent par les fenêtres

Stop now, there's no use throwing good money - - - - - - - -.

20. faire bouillir la marmite

He writes and she brings home the - - - -.

21. rester à la page / être de son temps

She hasn't got old because she keeps up - - - - - - - - - - - -.

IDIOMS

1. early to bed, early to rise makes a man healthy, wealthy and wise	L'avenir appartient à celui qui se lève tôt.
2. ignorance is bliss	Ne le lui dites pas, qui rien ne sait de rien ne doute.
3. why on earth! / for the love of Mike!	Pourquoi diable.
4. double or nothing	Quitte ou double. D'accord ?
5. have you a light please?	Avez-vous du feu ?
6. he's the chief cook and bottle washer	J. est le patron mais en général il est l'homme de toutes les besognes.
7. well done	Bravo.
8. *to be in the dog-house	Attention, vous êtes dans mes mauvaises grâces depuis la semaine dernière.
9. help yourself to some more...	Reprenez du gâteau, je vous en prie.
10. I bet my bottom dollar	Je parie ma chemise que vous avez tort.
11. you had better (to) / it'd be better if	Vous feriez mieux de partir plus tard. Il serait mieux.
12. to fight City Hall	Abandonnez ; vous vous battez contre des moulins à vent.
13. well said	Bien dit.
14. *to stick one's neck out	Le patron se mouille pour elle et j'espère qu'il n'y aura pas de répercussions.
15. the sky's the limit	Si vous avez des idées et de l'énergie en Amérique, tout est possible.
16. cloak and dagger	Les romans les plus vendus sont encore ceux de cape et d'épée.
17. with all due respect	Avec tout le respect que je vous dois, je ne suis pas d'accord.
18. *to shoot the works / to go for broke	Je sais que c'est un risque, mais nous avons décidé de jouer le tout pour le tout.
19. to throw good money after bad	Cessez maintenant ; pourquoi jeter son argent par les fenêtres.
20. to bring home the bacon	Il écrit et c'est elle qui fait bouillir la marmite.
21. to keep up with the times	Elle n'a pas vieilli car elle vit avec son temps.

158

EARLY ADVANCED

1. décrocher le gros lot

Wow. You-hit the jack - - - -.
        -struck it - - - -.

2. préférer être le 1er dans son village à être le second à Rome

He's living in the country and painting, having decided he would rather be a big fish in a little - - - - than a little fish in a big - - - -.

3. prendre le chemin des écoliers

The weather was so nice that we took the long - - - - home.

4. tomber du ciel / arriver comme une bombe / comme un cheveu sur la soupe

That remark came out of - - - - - - - -.

5. sortir (sur le marché)

It was out in the States a month ago and will come - - - - - - - - - - - - market any day now.

6. avoir un compte à régler / garder de la rancune

She has an axe to - - - - with him about his taking over the work.

7. à la longue

You may be okay now, but if you keep eating like that, in the long - - - - you'll have a serious problem.

8. se mettre en colère / se déchaîner / donner libre cours à sa colère

Did you hear Harry let - - - -? He certainly did lose his temper.

9. cuisiner / passer à tabac

The cops gave the guy the third - - - - but got nowhere.
  − put the guy through the - - - - but got nowhere.

10. largement ouvert / sans limites

The field of publicity in Paris is wide - - - -.

11. être dans la lune / être distrait

He left his wallet on the train again; what an absent - - - - professor.

12. être le dernier / en bas de l'échelle

In all the sales contests Smith comes out low man on the totem - - - -.

13. être dur d'oreille

As a result of an accident he's hard of - - - -.

14. avoir la répartie facile / être vif

She's bright as they come; very quick on the - - - -, on the b- - - -.

15. manquer son coup

Joe couldn't get to first - - - - with the gal.

16. il les a surclassés / il a eu tous les applaudissements

He only had a bit part but stole the - - - - with it.

17. monter à la tête

All the attention she's been getting has - - - - to her head.

IDIOMS

1. to hit the jackpot / to strike it rich

Ciel, vous avez décroché le gros lot.

2. prefer to be a big fish in a little pond than a little fish in a big pond

Il vit à la campagne maintenant et fait de la peinture, car il préfère être le premier dans son village que le second à Rome.

3. the long way home

Il faisait si beau que nous avons pris le chemin des écoliers pour rentrer.

4. to come out of the blue

Cette remarque est venue comme un cheveu sur la soupe.

5. to come out (be put out) on the market

Il fut mis sur le marché aux U.S.A. il y a un mois et il sortira ici bientôt.

6. to have an axe to grind

Elle a un compte à régler avec lui parce qu'il lui a pris son travail.

7. in the long run

Vous pouvez être bien maintenant, mais si vous continuez à manger de cette façon, vous aurez, à la longue, un sérieux problème.

8. to let loose

Avez-vous entendu comment Harry s'est déchaîné. Il a perdu certainement son sang-froid.

9. to give someone the third degree / to put someone through the wringer

Les flics ont cuisiné le type mais n'ont abouti à rien.

10. to be wide open

Le champ de la publicité à Paris est énorme.

11. to be an absent-minded professor

Il a oublié son portefeuille dans le train. Il est toujours dans la lune.

12. to be low man on the totem pole

Dans tous les concours de vente il est en bas de l'échelle.

13. to be hard of hearing

Par suite d'un accident il est dur d'oreille.

14. to be quick on the up-take / on the ball

Il n'y a pas plus vif qu'elle ; elle a la réplique facile.

15. he could not get to first base

Joe a manqué son coup avec la fille.

16. he stole the show

Il n'avait qu'un rôle secondaire mais il a eu tous les applaudissements.

17. to go to one's head

Toute l'attention dont elle fut l'objet lui est montée à la tête.

1. prendre la peine / se soucier	He's very efficient and takes a lot of - - - - to see that his work is neat and on time.
2. donner / laisser le bénéfice du doute	I'm not sure either but let's give him the benefit - - - - - - - - - - - -.
3. en faire ce qu'on veut / faire tourner en bourrique	She can twist him around her little - - - -.
4. mon petit doigt me l'a dit	A little - - - - told me.
5. à l'heure (montre)	Although my watch is cheap, it certainly keeps very good - - - -.
6. qui se sent morveux se mouche / si cela vous concerne, prenez-le pour vous	If the shoe fits - - - - - - - -.
7. s'accrocher / avoir de la ténacité	Pete has the kind of stick-to-it - - - - that you need to get ahead.
8. trop de cuisiniers gâtent la sauce	Too many cooks spoil - - - - - - - -.
9. voilà la question cruciale	That's the 64 thousand - - - - - - - -.
10. faire du baratin / passer de la pommade	Listen to the snow - - - - he's giving her. Listen to him speak to her; he's laying it on - - - -.
11. esquiver la question / répondre en Normand	I went to him for help but he gave me a song and - - - -.
12. se comprendre mal / avoir un malentendu	I was waiting at the Opera and you were at the Champs-Élysées. We certainly did get our signals - - - -.
13. tenez bon	Never say - - - -.
14. avoir qq'un dans la peau	It's three years since they broke up and he's still carrying a - - - -.
15. le sort en est jeté	The die is - - - -.
16. qu'il s'en sorte tout seul / il peut cuire dans son jus	I'm through with him; he can stew in his - - - - - - - -.
17. ça glisse / cela ne fait aucun effet	It's like water off a - - - - - - - -.
18. être lambin / pas rapide	She goes at a snail's - - - - in everything she does. — is as slow as molasses - - - - - - - -.

IDIOMS

1. to take (a lot of) pain / trouble	Il est efficace et se donne beaucoup de peine pour que son travail soit net et prêt à temps.
2. give him the benefit of the doubt	Je ne suis pas sûr non plus; mais laissons-lui le bénéfice du doute.
3. to twist (wind) someone around your little finger	Elle en fait ce qu'elle veut.
4. a little bird told me so	Mon petit doigt me l'a dit.
5. to keep good time	Bien que ma montre soit bon marché, elle est toujours à l'heure.
6. if the shoe fits, wear it	Qui se sent morveux se mouche. Si cela vous concerne, prenez-le pour vous.
7. he has stick-to-it-ive-ness	P. s'accroche, ce qui est nécessaire pour réussir.
8. too many cooks spoil the broth	Trop de cuisiniers gâtent la sauce.
9. That's the 64 thousand dollar question	Voilà la question cruciale.
10. *to give someone a snow-job / *(he's) laying it on thick	Écoutez le baratin qu'il lui fait.
11. to give someone a song and dance	Je suis allée lui demander de l'aide mais il a répondu en Normand.
12. to get one's signals crossed	Je vous attendais à l'Opéra et vous étiez aux Champs-Élysées; on s'est bien mal compris.
13. never say die	Tenez bon.
14. to carry a torch	Il y a trois ans qu'ils ont rompu et il tient encore à elle.
15. the die is cast	Le sort en est jeté.
16. he can stew in his own juice	J'ai assez de lui; qu'il s'en sorte tout seul.
17. it's (was, etc.) like water off a duck's back	Cela ne fait aucun effet. (a way of marking a reaction that was expected but not given)
18. to go at a snail's pace / *to be as slow as molasses (in January)	Elle est lambine en tout.

162

1. chacun son dû / rendez à César ce qui appartient à César

You must give the Devil - - - - - - - -.

2. être quitte / tout est réglé

I gave him back the money and that settles the - - - - between us.

3. le pis-aller / de 2 maux il faut choisir le moindre

It's not that they wanted him as President, but at the time he was the lesser of - - - - - - - -.

4. remettre qq'chose à un autre jour

Sorry I won't be able to come today but I'll take a rain - - - -.

5. charbonnier est maître dans sa maison

A man's home - - - - - - - - - - - -.

6. être reçu avec un tapis rouge / d'une façon royale

In all countries visiting Heads of States receive the red - - - - treatment.

7. avoir le second rôle / être au 2e plan

He's tired of playing second - - - - and wants to be boss himself.

8. c'est ni chair ni poisson / là n'est pas la question

That's neither fish nor - - - -; neither here nor - - - - off.

9. tenir une nouvelle de bonne source

I got it-straight from the horse's - - - -. -first - - - -.

10. avoir plusieurs activités à la fois / avoir plusieurs cordes à son arc

Big businessmen often have their fingers in many - - - - at the same time.

11. un homme averti en vaut deux

To be forewarned is - - - - - - - - - - - -.

12. c'est toujours mieux chez le voisin que chez soi

Some people always envy others and for them the grass is always greener on - - - - - - - - - - - -.

13. d'après ce qu'on dit

As the story - - - - it was she who left him.

14. pension dans un hôtel

The hotel includes room and - - - -.

15. passons l'éponge / oublions le passé

Let bygones be - - - -.

16. un shampoing – mise en plis

A wash and - - - - in New York costs about the same thing as in Paris.

17. on ne peut plus faire marche arrière / on ne peut plus revenir en arrière

The decision was taken and there is no turning the - - - - back.

18. mieux vaut prévenir que guérir

Do it now, a stitch in time - - - - - - - -.

IDIOMS

1. must give the devil his due	Rendez à César ce qui appartient à César.
2. that settles the score	Je lui ai rendu son argent et nous sommes quittes.
3. it was (he, etc.) the lesser of two evils	Ce n'est pas qu'ils le voulaient comme Président à ce moment-là, mais entre deux maux il fallait choisir le moindre.
4. to take a rain check	Désolé, je ne pourrais pas venir aujourd'hui mais pourrions-nous remettre cela à un autre jour?
5. a man's home is his castle	Le charbonnier est maître dans sa maison.
6. to get (they gave him, etc.) the red-carpet treatment	Dans tous les pays les chefs d'État en visite sont reçus royalement.
7. to play second-fiddle	Il en a assez d'être le second et veut devenir le patron.
8. *that's neither fish nor fowl / neither here nor there	C'est ni chair ni poisson.
9. I got it straight from the horse's mouth / first hand	Je tiens la nouvelle de bonne source.
10. to have one's fingers in many pies (at the same time)	Souvent les hommes d'affaires s'occupent de plusieurs affaires à la fois.
11. to be forewarned is to be forearmed	Un homme averti en vaut deux.
12. the grass is always greener on the other side	Certains envient tous les autres et, pour eux, c'est toujours mieux chez leurs voisins.
13. as the story goes	D'après ce qu'on dit, c'est elle qui l'a quitté.
14. room and board	L'hôtel fait la pension.
15. let bygones be bygones	Oublions le passé.
16. a wash and set	Un shampoing - mise en plis à New York coûte à peu près le même prix qu'à Paris.
17. there's no turning the clock back	La décision était prise, on ne pouvait plus revenir en arrière.
18. a stitch in time saves nine	Faites-le maintenant, mieux vaut prévenir que guérir.

EARLY ADVANCED

1. au 7e ciel / être aux anges

I'm in 7th - - - - about the news.
I'm walking - - - - - - - - about the news.

2. myope comme une taupe

She's as blind as a - - - -.

3. à chacun son goût / des goûts et des couleurs on ne discute pas

You like chocolate and I don't; well to each his - - - -.

4. s'engager sur un terrain dangereux / marcher sur des œufs / faire de la corde raide

If I were you I wouldn't ask the boss for a raise now. After your last report you're
- skating on - - - - - - - -.
- walking on a - - - - - - - -.

5. c'est une autre paire de manches

I didn't know that. Now I see your point and that's a horse of a different - - - -.

6. se creuser la cervelle / casser la tête

I've racked my - - - - and still can't find the answer.

7. mieux vaut tard que jamais

Better late - - - - - - - -.

8. être sur la bonne voie

Continue. You're on the right - - - -.

9. ce n'est pas mon genre

I really don't feel like seeing that film, it is just not my cup of - - - -.

10. être pris la main dans le sac / sur le fait

Peter tried to deny it but what he said was ridiculous as for all intents and purposes he was caught red - - - - (or) with the - - - -.

11. c'est son gagne-pain

If he loses that, all is gone. It's his bread and - - - -.

12. combler le fossé

If there is ever going to be peace on earth then we must find a way to bridge the many - - - - between people.

13. c'est donné / l'avoir pour une bouchée de pain

We saw that at the Flea market and bought it for a - - - - (or) dirt - - - -.

14. quoi qu'il arrive

Come what - - - -, I will absolutely not go back on my word.
Whatever - - - -.

15. c'est à devenir fou

His continual lying is enough to - - - - you crazy.

16. je boirais bien qq.chose

I could - - - - a drink.
- do - - - -.

17. tomber à l'eau / être dans le lac / aller à vau-l'eau

Since the big boss died the business is going to
- the - - - -,
- p - - - -,
- down the - - - -,
- on the - - - -.

IDIOMS

1. I'm in 7th heaven / I'm walking on air

Je suis aux anges en apprenant ces nouvelles.

2. to be as blind as a bat

Elle est myope comme une taupe.

3. to each his own

Vous aimez le chocolat et moi pas, eh bien, à chacun ses goûts.

4. you're skating on thin ice / walking on a tight rope

Si j'étais à votre place, je ne demanderais pas d'augmentation au patron pour l'instant. Après votre dernier rapport, vous êtes sur un terrain dangereux.

5. *that's a horse of a different color

Je ne le savais pas. Maintenant je comprends votre point de vue et c'est une autre paire de manches.

6. to rack one's brains

Je me suis cassé la tête et pourtant je ne trouve pas la réponse.

7. better late than never

Mieux vaut tard que jamais.

8. you're on the right track

Continuez. Vous êtes sur la bonne voie.

9. it's not my cup of tea

Je n'ai pas envie d'aller voir ce film, il n'est pas à mon goût.

10. to be caught red-handed, *with the goods

Pierre essaya de nier mais tout ce qu'il disait était ridicule, car en fait il a été pris la main dans le sac.

11. it's his bread and butter

S'il perd cela, tout est fini. C'est son gagne-pain.

12. to bridge a gap

S'il y a toujours une chance de paix sur la terre, alors nous devons combler le fossé entre les peuples.

13. bought it for a song, *dirt cheap

Nous l'avons trouvé au Marché aux Puces et l'avons eu pour une bouchée de pain.

14. come what may whatever happens

Quoi qu'il arrive, je ne reviendrai pas sur ce que j'ai dit.

15. *it's (enough) to drive you crazy

Ses mensonges continuels suffisent à vous rendre fou.

16. I could stand a drink / do with

Je boirais bien un verre.

17. *going to the dogs / *to pot / down the drain (être dans le lac) / on the rocks

Depuis la mort du grand patron, l'affaire va à veau l'eau.

EARLY ADVANCED

1. c'est clair comme le jour/ ça saute aux yeux / *ça se voit comme le nez au milieu de la figure

   It's as plain as the nose on - - - - - - - -.
   — can - - - -.

2. être comme un coq en pâte

   He's leading the life of - - - - with his new wife.

3. mieux vaut un petit quelque chose que rien du tout

   Take what you can; a half loaf is - - - -.

IDIOMS

1. it's as plain as the nose on your face / plain as can be

Ça se voit comme le nez au milieu de la figure.

2. to lead the life of Riley

Il est comme un coq en pâte avec sa nouvelle femme.

3. A half a loaf is better than none

Prenez ce que vous pouvez : mieux vaut un petit quelque chose que rien du tout.

ADVERBS AND PHRASES

1. hardly, barely, scarcely, no sooner	à peine
2. anyway, anyhow, all the same	quand même, tout de même
3. one out of five	un sur cinq
4. on purpose	exprès
5. in any case, at any rate	de toute façon
6. however	cependant
7. immediately, right now, at once	tout de suite
8. although	bien que, quoique
9. in spite of, despite	malgré
10. together	ensemble
11. any more, any longer	ne plus
12. every other week	toutes les deux semaines
13. regardless, whatever, no matter what	quel que soit
14. besides, what's more, furthermore, more-over	en outre, de plus, d'autre part
15. for good, forever	pour de bon, à jamais
16. all day long	de toute la journée
17. on the whole, by and large	dans l'ensemble
18. nowadays	de nos jours
19. briefly, to make (cut) a long story short, *in a nutshell	bref
20. a little while ago, in a little while	tout à l'heure (passé-futur)
21. beyond	au-delà
22. as far as, as regards, in so far as	en ce qui concerne
23. by all means, not at all	je vous en prie (politesse)
24. as a matter of course	automatiquement

25. of late, lately	dernièrement
26. at times	parfois
27. it still remains that	toujours est-il, il n'en reste pas moins que
28. afterwards	ensuite
29. sooner or later	tôt ou tard
30. at first, from the first	tout d'abord, dès le début
31. eventually	d'ici quelque temps
32. definitely	sûrement (faux amis)
33. by (June)	d'ici (juin)
34. all over, everywhere	partout
35. as of, from... on	à partir de
36. this time next week	aujourd'hui en huit
37. actually, as a matter of fact	en fait
38. if not, or else	sinon
39. short-lived	de courte durée
40. the following night	le lendemain soir
41. shortly before	peu de temps avant
42. off and on, now and then, from time to time	de temps en temps
43. apart from	mis à part
44. for the sake of argument	pour les besoins de la cause
45. hence, thus, therefore	donc
46. that's a case in point, for instance	à titre d'exemple
47. it's likely that, liable that	c'est probable que
48. round about, approximately, just about	environ
49. owing to, due to	à cause de
50. prior to	avant de
51. in the same way, similarly, likewise	de même
52. altogether, completely, through and through	tout à fait, cent pour cent
53. no wonder	ce n'est pas étonnant
54. first and foremost	d'abord et avant tout
55. presumably	en principe, probablement
56. once and for all	une fois pour toutes
57. of long standing	de longue date
58. somehow	d'une manière ou d'une autre

59.	all the more	d'autant plus
60.	as we go along	au fur et à mesure
61.	as for, as far as... goes	quant à
62.	in the midst of	en train de, au milieu de
63.	above all	surtout
64.	on the verge of, about to	sur le point de
65.	we might as well go	autant (aller maintenant), nous pouvons aussi bien...
66.	if so	dans ce cas-là
67.	an hour or so	environ une heure
68.	by far	de loin
69.	ages ago	il y a belle lurette
70.	unless	à moins que
71.	by the day, month, etc.	à la journée, au mois, etc.
72.	to make things worse	pour mettre les choses au pire, pour comble de malheur
73.	on top of that, *to boot	ce n'est pas tout, par-dessus le marché
74.	in due time	en temps voulu
75.	out of the way, a long way off, far away	loin, au diable vauvert
76.	in a row	à la file
77.	as a rule, generally	d'une façon générale, en règle générale
78.	the next to the last (day, etc.)	l'avant-dernier (jour)
79.	endless	sans fin
80.	(10 things) at once	(10 choses) à la fois
81.	in the long run	à la longue
82.	few and far between	inhabituel, rares et espacés
83.	just in case	au cas où, à tout hasard
84.	pre / post (war, etc.)	avant/après (guerre)
85.	the point is...	le problème est que, le fait est...
86.	in no time at all	en un rien de temps
87.	all things considered, all in all, when all's said and done	tout compte fait
88.	a) ex, b) late (husband, etc.)	a) 'ex' b) feu (mari)
89.	needless to say	inutile de dire
90.	without fail	sans faute
91.	what else	quoi d'autre

92. over three years, more than	plus de trois ans
93. given that, since	étant donné que
94. bearing in mind	compte tenu de
95. to such an extent that	à un tel point que
96. as long as, in so far as	dans la mesure où
97. so as to (not to)	pour, de manière à
98. on the assumption that, assuming that	dans l'hypothèse où
99. all things being equal, taking all into consideration	si tout va bien tout bien considéré
100. with this in mind	dans cette perspective
101. that's what I was getting at	c'est là où je voulais en venir
102. while we're about it	pendant que nous y sommes
103. notwithstanding	nonobstant
104. even so	il n'empêche que
105. a) however (rich) he may be b) however hard I work	*a)* si riche qu'il soit *b)* j'ai beau travailler
106. if only	ne serait-ce que
107. throughout the year	pendant toute l'année
108. at random	au hasard
109. in vain, to no avail, it's useless	en vain, c'est inutile
110. let alone	sans parler de, sans compter
111. whereas	tandis que
112. herewith	ci-joint
113. ever so little	tant soit peu
114. far from it	tant s'en faut, loin de là
115. for many a year	pour pas mal d'années
116. if worst comes to worst	au pire
117. but for...	sans (votre aide, etc)
118. on the spot	sur le champ, excepté sur place
119. sideways / inside out / upside down	sur le côté/à l'envers/sens dessus dessous/de travers
120. no matter what, whatever no matter which, whichever no matter when, whenever	n'importe quoi, quelque... n'importe lequel, celui... n'importe quand
121. mainly	principalement
122. so many dollars	x dollars
123. after a fashion	tant bien que mal
124. for a while	pendant un moment

ADVERBS AND PHRASES

125.	beforehand	au préalable, d'avance
126.	indeed	en effet
127.	the sooner the better	le plus tôt sera le mieux
128.	at the utmost	tout au plus
129.	so far, up to now	jusqu'ici
130.	on the other hand	par contre
131.	among	parmi
132.	otherwise	sinon
133.	instead of	au lieu de
134.	the day before yesterday the day after tomorrow	avant-hier après-demain
135.	in the meantime, in the meanwhile	en attendant
136.	so that	pour que
137.	suddenly, all of a sudden	soudain
138.	at any moment	d'une minute à l'autre
139.	needless to say	inutile de dire
140.	all the more reason	à plus forte raison
141.	as far as I know	autant que je sache
142.	to all intents and purposes	en tout état de cause/à toutes fins utiles
143.	happily, luckily, by chance	heureusement
144.	short / long term	à court terme/long
145.	in relation to	à propos
146.	somehow (or other)	d'une manière ou d'une autre

TYPICAL MISTAKES

1. She is a very sympathetic gal.
2. We passed our vacations in Holland.
3. I have not the possibility to go on vacation now.
4. Tom is the President of our society.

5. He proposed to me to visit next week.

6. The car of which the tire is missing (better) is theirs.
7. We are the 3 of September.
8. What time is it? It's three and a quarter.
9. For why did he do it?
10. She borrowed it to him.
11. I knew him in Italy last spring. T+(correct)
12. And the Italians and the French have trouble with English.
13. They had a very big success in Florida.

14. I rested in Nice 2 weeks.

15. She has only a few ones.
16. She went for buying a hat.

17. We telephoned to him yesterday.
18. Would you like the scotch dry or on the rocks?

Donner la phrase correcte puis vérifier au verso.

175

1. She is a very nice gal.
2. spent not passed.
3. I can't go...or- It is not possible for me to go... (not : to have the possibility).
4. of our company (society = le tout Paris).
5. He suggested that I... (proposed to is French form).
6. of which is to be avoided : The car whose tire is missing is theirs.
7. It is September third.
8. ...It's a quarter past three.
9. Why did he do it?
10. She borrowed it from him.
11. I met him in Italy last spring.
12. The Italians and the French have trouble with English.
13. They were very successful... (not : to have a success).
14. I stayed (remained)... (rested = se reposer).
15. ...a few (never is followed by one-ones)
16. She went to buy a hat or for a hat (to + verb/for + noun or pronoun, usually)
17. ...telephoned him (not : to).
18. ...straight or on the rocks... (dry = less sweet).

TYPICAL MISTAKES

1. Her hairs are black.
2. We will go to a snack for lunch.

3. I am agreeing with you.
4. I know a nice dancing near St. Michel.

5. When the snow will stop, we will leave.
6. What do you want I do?

7. I don't know where was the man.
8. She is a mannequin for a company in N.Y.
9. Please excuse me, I'm really very confused about the whole thing.
10. I am learning you English.
11. I heard it at the T.V. where they're showing it every night (2 mistakes).

12. Remember me about that tomorrow.

13. She thinks not about it often.
14. Here are the reasons for why I didn't come.
15. She made the same fault.
16. We succeeded to do it.
17. Whose is this book?
18. He made her too much unhappy.
19. I entered in the room.
20. The whole people in France like cheese.
21. We had two days with snow.
22. He wanted that we eat with them.
23. I like very much that film.
24. Will you make my excuses to them please.
25. Before to go to Italy, I want to call him.
26. I eat there this night.

27. I went with John, Harry and the Doctor. This one came with us to help.

28. She assisted to the conference.

1. Her hair is black.
2. ...to a snack bar (coffee shop) for lunch (a snack = un sandwich, etc.).
3. I agree with you.
4. ...a nice dancing place, or, a nice place to dance.
5. when the snow stops... (when + present)
6. What do you want me to do (him to do, etc.).
7. I don't know where the man was.
8. She is a model for...
9. ...really very sorry (put out about) - (confused = mixed-up).
10. I am teaching you...
11. I heard it on the T.V. where they show it every night (present = vérité générale; progressive (ing) = en train de).
12. Remind me... (remember = souvenez-vous de moi).
13. She doesn't think about it often.
14. Here are the reasons why I didn't come.

15. ...same mistake (error) (fault = défaut).
16. ...succeeded in doing...
17. Whose book is this?
18. He made her very unhappy.
19. entered the room.
20. All the people in France like cheese.
21. It snowed for 2 days.
22. He wanted us to eat with them.
23. I like that film very much.
24. Will you give them my excuses...

25. Before going...
26. I will (shall in England) eat there this evening.
27. ...this one is a french translation of celui-ci and can not be used in English. You must repeat the name.
28. She attended the conference.

1. I have the intention to do it tomorrow. ———————————————

2. I am obliged to go. ———————————————

3. What means this word, please? ———————————————
4. Sue will come to Paris definitely. ———————————————

5. My nieces, aunts and the rest of my parents will come with us. ———————————————
6. She has many relations with Americans. ———————————————

7. My brother is a very high man. ———————————————
8. The boss talks on the phone now. ———————————————
9. It is the greatest building in France. ———————————————
10. The Doctors performed the experience. ———————————————
11. I have read that book last week. ———————————————

12. Dear Miss. ———————————————
13. I met many difficulties in trying to write that letter. ———————————————
14. Tom married with her last week. ———————————————
15. Yesterday we watched T.V. because there was something good on this evening. ———————————————
16. I will start for Nice this evening. ———————————————
17. Or his wife will tell you, or he will. ———————————————
18. I think to be able to go. ———————————————
19. Every people should wash daily. ———————————————
20. They are ancient pupils of his. ———————————————
21. California has an important population. ———————————————
22. This is the reason for which she called. ———————————————
23. Sue is very strong in English. ———————————————
24. We had a difficulty to find a parking (2). ———————————————
25. I don't see them for three months. ———————————————

26. I am watching T.V. every night. ———————————————

1. I intend to do... (have the intention to doesn't exist)
2. I have to go... (more colloquial) — I must go
3. What does this word mean please?
4. definitely = certainly, not permanently. There is often a confusion in meanings. Elle viendra sûrement à Paris. Et non : elle viendra s'installer définitivement à Paris.
5. ...rest of my family (relatives)
6. ...a lot of business with : contact with (relations = aventures)
7. ...very tall man
8. ...is talking (en train de)
9. ...the highest... (tallest)
10. ...the experiment
11. I read that book last week (the Past is definite and specific; the Present Perfect continuous or indefinite)
12. Dear Miss Smith (never Miss alone)
13. I had a lot of trouble in trying to... (meet difficulties is French literal translation)
14. ...married her
15. you can stop sentence after... on. — it refers to ce soir (today) and never to past night
16. I will leave (start = commencer)
17. Either his wife will tell you, or he will
18. I think I'll be able to go
19. Everyone should wash daily
20. They are ex pupils (ancients = antique)
21. ...a large population
22. This is the reason why she called.
23. She is very good in English
24. It was difficult finding a parking spot
25. I haven't seen them... (Present Perfect because it continues — le fait de ne pas avoir vu... continue...)
26. I watch T.V. (vérité générale = present)

TYPICAL MISTAKES

1. I like very much the French cheese.
2. She is learning English since three years (2).

3. I'm used to get up early.
   I'm using to smoke (correct and translate)
4. I'm hoping to read you soon.
5. When we saw her at night out with the boss we understood that there was something between them
6. From what says Joe, his wife is pretty sick.
7. You should never say that word before a cop.
8. The price of perfume in France is very interesting.
9. My boss didn't answer to me and I'm very angry against him (2).
10. She is a friend of me.
11. She has a rendez-vous with him at 6.
12. We were deceived by the play last week.
13. The result depends of the effort.
14. They have nice souvenirs of their travel to London (2 mistakes).
15. Sue, I present you Harry.

16. Write me in case you would need help.
17. He stayed six years without to see his parents.
18. She went to live in California for two years but now regrets her family.
19. They are actually selling those in Paris.
20. She doesn't never smoke.

21. He showed to me a book.
22. That crash arrived because of the storm.
23. She's such young a girl to marry now!

1. I like French cheese very much

2. She has been learning English for three years (most typical French mistake-the use of the Present for an action that began and continues which is our Present Perfect)

3. I'm used to getting... = avoir l'habitude de, or... I used to smoke = jadis je fumais

4. I'm hoping to hear from you soon

5. ...we realized...

6. From what Joe says...

7. ...that word in front of a cop (devant not avant)

8. ...is very reasonable...

9. a) answer me (no preposition)
   b) angry with him / at him

10. ...of mine

11. ...an appointment (date)

12. ...were let down = déçu, (to be deceived = trahi)

13. ...depends on

14. They have nice memories of their trip to London

15. Sue I would like you to meet... or Sue may I introduce you to...

16. Write me in case you need help

17. He went six years without seeing his parents

18. ...now misses her family

19. ...they are presently selling... (actually = pour ainsi dire)

20. She doesn't ever smoke or : She never smokes

21. He showed me a book

22. That crash happened...

23. She's such a young girl...

TYPICAL MISTAKES

1. Sue, as well than her sister, will come.
2. He wasn't alone to think that way.
3. She doesn't like him and I either.

4. His sister's a bachelor.

5. The company makes publicity in Elle.

6. She's waiting for a baby (enceinte).
7. I am born in New York.
8. I had satisfaction with the whole project.
9. I won't go nowhere.

1. Sue will come as well as her sister
2. He wasn't the only one to think that way
3. She doesn't like him and I don't either. She doesn't like him & neither do I
4. His sister's single (bachelor = for men)
5. The Company advertises in Elle / (has publicity in)
6. She's expecting a baby
7. I was born in N.Y.
8. I was satisfied with...
9. I won't go anywhere (impossible with 2 negatives)

WORDS AND EXPRESSIONS NOT TO SAY

POURQUOI CETTE LISTE?
1° pour comprendre et donc ne pas employer les mots à double sens qui risquent de choquer.
2° pour comprendre certains écrivains dont le vocabulaire est assez libre : (Henry Miller, Norman Mailer, Genet).
3° pour comprendre les films et disques d'aujourd'hui dont le vocabulaire est souvent osé...

1. bitch, wench	salope, ordure
2. to neck, smooch, pet (strongest)	bécoter, rouler une pelle, peloter, caresser
3. to be on the make	draguer, courir la gueuse
4. to be stacked / well-padded, a good-looking tomato, a dish	bien roulée, un beau châssis, bien balancée
5. to raise hell	faire la foire, faire la nouba, faire la java
6. all hell is going to break loose, when the shit hits the fan	ça va barder, ça va saigner, il y aura du sport, ça va chier des bulles
7. he's a schmuck, an ass, a jackass	il est con, vieux schnock, tête de cochon, lard, jean-foutre, bourrique, conasse
8. tits boobs, boobies falsies	a) nichons, tétons b) nénés, roberts, boîte à lolo, doudounnes c) faux nénés
9. hooker, whore, slut,	pute, grue, poufiasse, une dame toute prête, catin
10. to bitch, stop bitching = arrête de gueuler	rouscailler, râler, faire la gueule
11. to come	jouir
12. to be as flat as a board, as a pancake	être plate comme une planche à pain, à repasser, comme une limande
13. go to hell, get the hell out fuck off screw you	va te faire voir, va au diable, aux pelotes, fous le camp, va te faire cuire un œuf, va te faire voir chez les Grecs
14. lousy, crappy, shitty	dégueulasse, cradingue

15. a pimp	un maquereau
16. shit! crap!	merde !
17. to shit	couler un bronze, poser sa pêche
18. a g-string	un cache-sexe
19. rubber, trojan, bag	capote (anglaise)
20. to be hard up, horny	avoir un retard d'affection, il y a longtemps qu'il n'a pas fait l'amour, ça lui monte à la gorge
21. a bastard, louse, skunk, shithead, s.o.b., son of a.b., son of a bitch, mother fucking bastard, bugger (Engl.) swine, rat fink, stinker	salaud, saligaud, salopard, enfant de putain, crapule, enfant de garce, enculé, fils de pute, peau de vache
22. ass, arse (English), buttocks can (popotin = backside) to swing one's ass	a) le cul, le derche b) le derrière, les fesses c) se trémousser du popotin
23. bare-assed	à poil
24. a little snot/prick	un petit morveux
25. a hell-raiser	noceur, bambocheur, bringueur
26. they have him by the balls	couillonner (il s'est fait...)
27. to have a bull session, throw the bull around	jacter, tailler une bavette
28. for Chrissakes!	nom de Dieu !
29. he's a good lay (she...)	il fait bien l'amour, il baise bien (une sacrée baiseuse)
30. to get an eyeful	se rincer l'œil
31. to be full of hot air, it's a cock and bull story, bull shit	faire du vent, de la frime, déconner
32. to brown nose someone, lick someone's boots (ass)	lécher le cul, les bottes
33. to give someone the clap	flanquer la chaude-pisse, la chtouille
34. to take a leak, a piss	pisser, renverser la vapeur
35. they made him eat it, sweat it	ils lui en ont fait baver, suer, fait voir
36. to be ac-dc, to swing both ways	être polyvalent, marcher à voile et à vapeur

NOT TO SAY

37.	fuck off! screw you! go fuck yourself!	va te faire foutre !
38.	a lay, screw, roll in the hay, screwing	une partie de jambes en l'air, une coucherie
39.	to kick up a stink	en faire tout un plat
40.	to be an easy lay, put out for anyone, to shack up with anyone, a pushover, nympho, a loose woman	être une femme facile, une Marie-couche-toi-là, avoir la cuisse légère, elle se couche quand on lui dit de s'asseoir, avoir le feu aux fesses, une Marie-salope
41.	if my aunt had balls, she'd be my uncle	si ma tante en avait, elle s'appellerait mon oncle
42.	to be knocked up	avoir un polichinelle dans le tiroir, être en cloque, avoir le ballon
43.	she's hot stuff, a hot number, a sexpot, hot cookie, hot mama	elle est bandante, bandeuse, allumeuse
44.	a b-girl, a floozy	une entraîneuse, une gagneuse
45.	to have the curse (period)	avoir ses règles, les anglais, les ourses, ses doches
46.	you look like hell	tu as une sale gueule
47.	to be as boring as hell	emmerdant, canulant
48.	an old bitch / goat, pompous ass, old buzzard	a) vieille bique, vieille guenon, charogne b) il est bêcheur : un vieux birbe, ronchon
49.	to be scared shitless	avoir la queue entre les jambes, les avoir à zéro, avoir la frousse, les jetons, les chocottes, serrer les fesses, les grelots, avoir les foies, fouetter, mouiller
50.	to fart, pass wind	péter, moiffer, louffer
51.	balls, nuts	les couilles, les joyeuses, les génitoires, les roustons
52.	his kisser, mug smacker	sa gueule, sa tire-lire, trombine, bobine, pomme, binette
53.	I'm up shit's creek (without a paddle), I'm hard up	je suis dans la merde
54.	asshole	trou de balle
55.	a wolf, fast guy	coureur, dragueur, cavaleur, chaud lapin
56.	he made her, had her, scored with her, shacked up with her	elle est passée à la casserole, il l'a eue, elle s'est fait sauter, il se l'est faite

57. snot	pif, blaire, tarin, naze
58. hickie	suçon
59. to have a hard on	bander, teigner
60. cock, tool, prick	l'instrument, le membre, la verge, la bite, le dard, la queue, la quéquette, le nœud, le beigneur, la pine
61. to make it, to go all the way, to shack up	coucher ensemble, faire l'amour, se faire tamponner, s'envoyer en l'air
62. I don't give a damn / a shit / a fuck	je m'en tamponne le coquillard, je m'en fous, je m'en branle, je m'en bats l'œil, la queue
63. shut the hell up, fuck off, shove it, up yours	écrase, la ferme, rideau, boucle-la, ta gueule, tu me pèles le jonc
64. a lousy trick	un tour de cochon, une sale blague, un coup de salaud
65. to lay, to bang	tirer un coup, baiser
66. a tease	une allumeuse
67. dyke, lesbo, les (English)	gouine, gousse
68. fag, faggot	tapette, tante, pédale
69. a hell of a nice guy, a fucking nice guy	un brave mec, un chic type, un type vachement bien
70. he balled it up, screwed it up, did a half assed job, fucked it up	il s'est mélangé les crayons (pédales), il s'est gourré, il s'est foutu dedans, il a mis le bordel, la merde
71. dead-drunk, loaded, blind, soused	ivre-mort, rond comme un petit pois, bourré, beurré, saoul comme un Polonais, comme une bourrique
72. to goose someone	mettre la main au panier
73. to go down on someone, to blow someone, to suck	faire un pompier, tailler une pipe, faire une turlute
74. whorehouse, flophouse cathouse	maison close, bordel, bobinard, boxon
75. big-busted	il y a du monde au balcon
76. to be caught with one's pants down	se trouver gros-jean comme devant
77. to pick someone up, score with someone	faire une touche, avoir un ticket, avoir une barre
78. he has a screw loose, there is a screw loose	il en tient une couche, il est siphonné, ravagé
79. she got laid	elle s'est fait tamponner, sauter, trousser
80. she's knocked around	elle a roulé sa bosse
81. a pig	un condé, un poulet

NOT TO SAY

82. I'll be damned if...	le diable m'emporte si...
83. she's built like a battleship	elle a de quoi s'asseoir, elle a de l'intelligence et de la conversation
84. damned well done	bien fichu, bien foutu
85. he can shove it, put it up (his ass)	il peut se brosser, qu'il aille se faire foutre
86. you're a pain in the ass	tu me fais suer, me fais chier, tu es emmerdant, tu me cours sur le haricot
87. he shoots his mouth off, pops off at the mouth	il déconne, il débloque à pleins tuyaux
88. he kicked his face (head-ass), he laid him flat	il lui a cassé la gueule
89. to have wet dreams	décharger, faire une carte de France, mouiller ses draps
90. it stinks	ça pue
91. to stuff his face	bâfrer, s'en mettre plein la lampe, s'empiffrer
92. to drag his ass (all day for example)	traîner ses couilles, sa carcasse
93. a) yid, kike b) chink c) wop d) wasp e) kraut f) nigger, darkie, spade g) jap h) whitie	a) youpin b) chinetoque c) rital, macaroni d) parpaillot e) schleu, boche f) nègre g) japonais h) homme blanc
94. cunt, a piece	le con, la conasse, la chatte
95. to jerk off	décharger
96. to feel someone up	branler, astiquer la motte, polir le chinois
97. a good lay	une sacrée baiseuse
98. a French kiss	rouler une pelle, rouler un patin
99. to be hot, to be all hot and bothered	être en chaleur, avoir le feu aux fesses
100. the head	les gogs
101. to screw, to sock it someone, lay (get laid)	baiser, enfiler, tringler, niquer
102. to fuck	enculer, se faire défoncer
103. to croak	crever
104. to play with oneself, to jerk off	se branler
105. that's a lot of shit	ce sont des conneries
106. lucky bastard	sacré veinard

TABLE DES MATIÈRES

N° d'impression 10149

IMPRIMERIE CHAIX-DESFOSSÉS-NÉOGRAVURE-PARIS

N° d'édition : 8720 — 4ᵉ trimestre 1971 — PRINTED IN FRANCE